TOPLESS

Livros da autora publicados pela **L**&**PM** Editores

Cartas extraviadas e outros poemas (**L**&**PM** POCKET)
Coisas da vida (**L**&**PM** POCKET)
Doidas e santas
Meia-noite e um quarto
Montanha-russa (**L**&**PM** POCKET)
Non-Stop (**L**&**PM** POCKET)
Poesia reunida (**L**&**PM** POCKET)
Topless (**L**&**PM** POCKET)
Trem-bala (**L**&**PM** POCKET)

Martha Medeiros

TOPLESS

www.lpm.com.br

L&PM POCKET

Coleção **L&PM** POCKET, vol. 289

Os textos incluídos neste livro foram publicados no jornal Zero Hora (RBS, Porto Alegre) entre abril de 1995 e junho de 1997)

Este livro teve sua primeira edição em formato 14x21cm, em 1997.
Primeira edição na Coleção **L&PM** POCKET: outubro de 2002.
Esta reimpressão: junho de 2010

capa: Marco Cena
revisão: Carlos Saldanha e Renato Deitos

ISBN 978-85-254-1241-6

M488t Medeiros, Martha
Topless / Martha Medeiros. – Porto Alegre: L&PM, 2010.
176 p. ; 18 cm (Coleção L&PM Pocket)

1.Ficção brasileira-Crônicas. I.Título. II. Série.

CDD 869.98
CDU 869.0(81)-94-3

Catalogação elaborada por Izabel A. Merlo, CRB 10/329

Rua Comendador Coruja 314, loja 9 – Floresta – 90.220-180
Porto Alegre – RS – Brasil / Fone: 51.3225.5777 – Fax: 51.3221-5380

PEDIDOS & DEPTO. COMERCIAL: vendas@lpm.com.br
FALE CONOSCO: info@lpm.com.br
www.lpm.com.br

Impresso no Brasil
Outono de 2010

Índice

Clientes, go home!

A economia está estabilizada, você recebeu seu salário hoje e não está nem aí para os conselhos do governo: vai entrar na primeira loja que aparecer e consumir feito louca. Apoiado. Só não esqueça de levar uma dose extra de bom humor. Não por causa dos preços, que você está careca de saber que andam pela hora da morte. O problema é outro: o atendimento. Você não dá bola? Eu dou.

Comecemos nosso tour por uma loja de departamentos de um shopping. O atendimento é self service, mas como tem umas moças de uniforme circulando na área, você se enche de coragem e pergunta: "Por favor, tem esta saia no tamanho 42?". A vendedora te olha como se você tivesse pedido o marido dela emprestado e responde: "O que tem, taí". Assunto encerrado. Ela já está fora do seu raio de visão e você se sente uma idiota. Claro, o que tem está aqui. O pior é que em vez de sumir e nunca mais voltar, você resolve levar a saia tamanho 40, mesmo que esteja um pouco apertada. Dirige-se ao caixa. Algumas perguntas terão que ser feitas: cheque, cartão, descontos à vista, como é que é? Dê-se por satisfeita com respostas monossilábicas: sim, não.

Elas não querem papo. Desista. Vá para uma livraria, que o nível da conversa vai ser outro.

"Boa tarde. Vocês têm o livro *Escrever*, de Marguerite Duras?"

Antes de continuar, quero dizer que esta história não é ficção. Aconteceu comigo, e numa livraria bem conceituada da cidade. Voltemos à cena.

"Então, tem?"

A moça que me atendeu ficou em estado de choque. Depois de alguns segundos, ela perguntou: "É sobre o quê?". Respirei fundo. "É sobre o ofício de escrever, provavelmente inspirado na experiência da autora." Seus olhos se iluminaram: "Ah! Vou procurar entre os livros técnicos". Neste momento, entra em cena o gerente da loja. Travou-se o seguinte diálogo entre os dois: "Ela está procurando um livro sobre escrever". E voltando-se para mim: "Qual é mesmo o nome da escritora?". Repeti, caprichando na pronúncia. Desta vez foi o gerente que entrou em choque. Adivinhe o que ele me perguntou: "É sobre o quê?". Ainda tentei explicar que eu havia visto o livro na vitrine uma semana antes e que era bem possível que tivessem algum exemplar no estoque. Eles suavam frio. "Não serve Lair Ribeiro?"

Com a saia que nunca me serviria e sem o livro de Duras, fui ao banco. Filas imensas, lógico. Até que chega a minha vez. A moça que me atende não tem pressa alguma. Está ocupadíssima contando pra colega como foi a festa no sábado. Parece que ela levou um fora do Rogério e agora está namorando o

Valdo, só que o Valdo mora muito longe, e ainda por cima ela ainda gosta do Rogério. Com um problemão desses, quem vai ligar para o meu saldo?

Fim de tarde no supermercado. O carrinho está com as rodinhas tortas e tem uma folha de alface presa na grade. Tudo bem. Recolho das prateleiras o que preciso e vou para o caixa: "A senhora lembra o preço do palmito?". Claro que não lembro. Lá vai um garoto verificar. A fila vai aumentando atrás de mim e eu prometo que nunca mais vou comer palmito na vida, quando o garoto volta. Engraçado, eu podia jurar que ele ficou grisalho. Já estou preenchendo o cheque quando lembro que vai ser preciso chamar o gerente para endossá-lo. Rasgo o cheque e puxo o dinheiro. Não tem troco. Lá vai o garoto trocar uma mísera notinha de dez. E agora quem está ficando grisalha sou eu.

O salário de todo esse pessoal é uma vergonha, dá-se o devido desconto. Mas será que nossos empresários nunca ouviram falar em treinamento? A maioria dos estabelecimentos comerciais possui um quadro de funcionários completamente despreparado para atender a população. São pessoas que não valorizam o próprio serviço, não olham os clientes nos olhos e dão a impressão de estar prestando um tremendo favor em desperdiçar o seu sagrado tempo com a gente. Sorriso é raridade. *Bom dia, obrigado, volte sempre,* latim. Informações na ponta da língua, nem pensar. Parecem aliviados quando saímos da loja, e se não voltarmos mais, tanto melhor. Abram o olho, patrões. Um dia esta euforia consumista acaba e quem vai precisar de nós são vocês.

Nomes feios

Até madre Teresa de Calcutá deve ter dito o seu ao longo de toda a sua casta existência. Mesmo que ela nunca tenha ficado presa num engarrafamento, mesmo que nunca tenha topado com o dedão do pé numa pedra, mesmo que nunca tenha faltado luz bem na hora da transmissão da missa do galo, ainda assim, em algum instante e por algum motivo, ela deve ter ao menos pensado: que merda! Deus perdoaria, com certeza. Em certas ocasiões, nada substitui o bom e velho palavrão.

Palavrão é feio, vulgar, às vezes até obsceno, mas faz parte da linguagem popular de todos os povos, sejam árabes, croatas ou chineses. No Brasil, já foram catalogados mais de 3 mil. Na França, 9 mil. Na Inglaterra, existe até o *Dicionário de Insultos em Cinco Línguas*, o primeiro guia prático destinado a turistas que são obrigados a lidar com bagagens perdidas, reservas malfeitas, café frio, serviço ruim e contas exorbitantes. Poucos são os que ainda negam a utilidade do palavrão para radiografar uma determinada sociedade, seus costumes e tendências.

Nelson Rodrigues era malcriado? Pois a cultura brasileira não seria a mesma sem ele. Ferreira Gullar chocou com o seu *Poema Sujo*? E Adélia

Prado, com o poema *Objeto de Amor*? Pois seria impossível imaginar estas obras sem seus pequenos ferrões. E quem vê Jorge Amado com sua cabeleira branca, uma espécie de avô baiano de todos nós, não imagina que é dele o recorde de palavrões usados por um único autor brasileiro, segundo pesquisa realizada por Mário Souto Maior, autor do *Dicionário do Palavrão e Termos Afins*. Em um texto encomendado pela jornalista Lu Lacerda para o livro *131 Posições Sexuais*, Jorge Amado a certa altura fala da xoxota (sic) de Lilian Ramos. A autora ruborizou-se. Pediu ao mestre que substituísse o termo. Nada feito. Ou saía como ele tinha escrito, ou vetava o texto inteiro. Ela cedeu, que não é boba, e seu livro de depoimentos ganhou o aval de um dos maiores romancistas de todos os tempos.

Existe uma palavra para definir o que leva alguém a censurar um palavrão: hipocrisia. A mesma hipocrisia que perseguiu Leila Diniz, Plinio Marcos e tantos outros artistas que ousaram colocar a linguagem das ruas nos jornais, revistas e peças de teatro, desafiando a tese de que existem palavras que se dizem mas não se escrevem. De certo modo devemos a eles o fato de Dercy Gonçalves e Faustão terem liberdade para dizer o que bem entendem em plena matinê dominical, ainda que gratuitamente.

Se escritores e dramaturgos quase sempre usam o palavrão com pertinência e adequação, o mesmo não se pode dizer de alguns cineastas que atormentaram nossos ouvidos por décadas. Por trás de cada impropério deixavam transparecer uma absoluta falta do que dizer. Tudo bem que no auge da repressão, o palavrão era uma resposta ao silêncio, aliviava tensões, funcionava como catarse, mas abusaram. O cinema nacional está ressurgindo agora com um vocabulário mais inteligente.

Usar o palavrão com o único propósito de escandalizar é antigo e ineficaz. Rebeldes sem causa deveriam ler Bukowski, Henry Miller, Glauco Mattoso. Ficariam corados. Nomes feios? Podem ser até carinhosos. "Vem cá e me dá um abraço, seu puto." Nada mais fraterno. A única coisa que ainda agride é o mau gosto.

Quanto vale um ex

Há poucas semanas, a última página da revista Veja deu espaço para o ponto de vista de uma leitora que estava com o atual marido preso, acusado de não pagar pensão para a primeira mulher. A televisão também andou mostrando imagens de um prisioneiro cumprindo pena pelo mesmo motivo. Assunto delicado, esse. Envolve dinheiro e cobrança, as mais diversas. Mas é uma discussão que, inevitavelmente, vai entrar na ordem do dia. As mulheres conquistaram uma série de direitos e talvez tenha chegado a hora de pagar por eles.

Nos últimos 30 anos, a independência da mulher deixou de ser uma hipótese para ser um fato, e tudo o que aprendemos sobre relacionamento entre homens e mulheres, até segunda ordem, está cancelado. Estamos reaprendendo a conviver segundo as novas regras do jogo. Mudou tudo: sexo, amor, casamento, separação, fidelidade, educação dos filhos, orçamento doméstico, hierarquia familiar. Para quem está ficando adulto agora, as regras são claras: não se fazem mais moças como antigamente. Hoje toda adolescente estuda ou trabalha, investindo no seu próprio pé-de-meia e contando consigo mesma para seus projetos futuros. Em resumo: está descolando um emprego antes de descolar um marido.

Mas faz pouco tempo que o mundo é assim. Quem está comemorando bodas de prata ainda pegou uma época em que, se a mulher trabalhava, era moderna, e se não trabalhava, era normal. Tudo bem ficar em casa cuidando da educação das crianças e da administração da casa. Era, e ainda é, uma atividade essencial e valiosa, mas não é profissão.

Ninguém é remunerado por buscar os filhos no colégio ou fazer o almoço. Ninguém declara imposto de renda por cerzir meias ou arrumar armários. As mulheres topavam a dependência total, do pai para o marido. E os maridos topavam a adoção, sem contestar. Não conheço nenhum caso de um homem, 30 anos atrás, chegar para a mulher e dizer: "Amor, deixa essa musse de limão pra lá e vai procurar um emprego. E não se preocupe: eu lavo a roupa pra você". Nada disso. Estava bom para ambas as partes, e hoje, separadinhos da silva, pagam caro por ter nascido na pré-história. Eles perdem 1/3 do salário, elas ganham 1/3 de humilhação. Uma pena, mas lei é lei.

Encerradas as cenas de um casamento medieval, entramos na era do casamento liberal. Oba! Todos saem cedo, ele para um lado, ela para o outro, filhos na creche desde os 4 meses, cada um preservando sua individualidade, seu emprego e sua graninha. Bem diferente da vovó e do vovô. Mas as separações continuam a todo vapor e o legislativo vai ter que decidir: nossas filhas também serão sustentadas pelo ex?

Pouco provável. Já se conheceram independentes, pois despeçam-se com um aperto de mão civilizado e desapareçam da vida um do outro, resolvendo juntos apenas as questões relacionadas com os filhos. Pensão alimentícia, só para as crianças. Se ela tem uma formação profissional e tem saúde, é hipocrisia querer herdar o paternalismo que tanto se lutou para romper. É dureza? É, amiga, mas querer só o bem-bom não é justo com os cavalheiros. Ser dona do próprio nariz não sai barato.

Esta questão tende a ser enfrentada com menos pancadaria nos próximos anos, mas por enquanto ainda tem casal saindo no braço. Só agora estamos começando a aceitar a idéia de que um casamento, para dar certo, não precisa durar até que a morte os separe. Dez, 15 anos de felicidade conjugal podem ser bem satisfatórios, e se não der mais para ficar junto, paciência, até mais.

Nada romântico, mas bem realista. Reconhecendo a possibilidade de uma separação futura, ainda que não esteja nos planos de nenhum dos dois, é possível estruturar-se financeiramente para não ter que um dia lavar roupa suja num tribunal. É triste admitir que o amor não dura para sempre, mas tornou-se imperativo aceitar que o dinheiro dele também não.

A FELICIDADE NO FIM DE SÉCULO

Para nossas bisavós, ser feliz era fácil. Bastava casar e ter filhos. Aos 20 anos de idade, muitas já tinham alcançado o seu objetivo. Para outros, a felicidade estava em ser competente na profissão escolhida: muitos anos de estudo, um período de estágio, alguma experiência e chegava-se lá. Ser feliz sempre foi o grande desejo universal e as pessoas não se preocupavam com a quantidade de tempo investida para alcançar sua meta. Dois anos? Dez? O que importava era a realização.

Priscas eras. Quem, hoje, está disposto a esperar meia-hora para ser feliz? A felicidade conquistada lentamente, passo a passo, virou uma vaga lembrança. Estamos vivendo a era da felicidade instantânea. Precisamos, para ontem, de um jatinho particular, um apê em Nova York e um nariz novo. Nada que uma Supersena acumulada não resolva.

Por que esta urgência de viver? Simples: porque a morte tem chegado à bala. A violência urbana mudou o nosso conceito de felicidade. De dia comemos um churrasco com a família, à noite podemos estar enterrando um amigo morto estupidamente num acidente de carro. Na segunda-feira tossimos, na terça temos câncer no pulmão. De manhã nossa filha era uma criança, à tarde ela está nos braços de um marginal, virando mulher à força. Nossa vida está valendo muito pouco. Uma briga de trânsito, uma porta aberta inadvertidamente, um diagnóstico, e *the game is over*.

Então a ordem é pedir demissão, largar a família e sair por aí vivendo cada dia como se fosse o último? Não se trata do apocalipse. Ao contrário de Nostradamus, acredito que fazer previsões, mais do que nunca, virou tarefa de charlatão. Não há como adivinhar o que vai acontecer amanhã, e este amanhã não significa a próxima geração, mas amanhã mesmo, daqui a 24 horas. Os fatos atropelam nossos planos, e ser feliz, hoje, é adequar-se à realidade, nem que para isso seja preciso trocar de sonhos, de ideais, de rumo.

Vida efêmera não combina com projetos a longo prazo. Arnaldo Jabor é uma prova ambulante desta mobilidade frente à vida. Cineasta consagrado, ficou sem condições de trabalhar quando o governo Collor deu o tiro de misericórdia no cinema brasileiro. Jabor fez o quê? Canalizou sua criatividade e seu talento para outra direção, em vez de ficar chorando sobre o celulóide derramado. Trocou a câmera pelo computador e tornou-se, do dia para a noite, um dos melhores jornalistas deste país.

Danuza Leão foi a promoter mais badalada da noite carioca. Ia dormir com o sol alto, quando o resto da cidade estava acordando. Vivia para dançar, conversar, divertir, até que a tragédia bateu em sua porta e Danuza fechou para balanço. Nasceu uma mulher madrugadora, que caminha à beira-mar e escreve best-sellers. Voltou para a vida por outra estrada.

Jô Soares um dia cansou dos próprios personagens e de seus bordões cansativos e foi comandar um talk show que dispensa apresentações. Era feliz quando se vestia de Norminha ou Capitão Gay? Era, mas deixou de ser. Não há aí nenhuma infidelidade ao passado, apenas a busca da felicidade, que constantemente muda de lugar.

O ser humano sempre foi mutante. Só que agora, em tempos mais liberais e imprevisíveis, ele muda inúmeras vezes, fragmentando suas emoções. É fácil encontrar a felicidade: ela continua onde sempre esteve, na trilogia amor-dinheiro-saúde. Só que as pessoas estão se apaixonando a cada minuto, o dinheiro troca de mãos a todo instante e ninguém sabe a hora em que Sarajevo vai ser aqui. A felicidade passou a ser a arte de pensar ligeiro e tomar decisões. A arte de ganhar e perder em frações de segundo. A arte de compensar. Vence quem for mais rápido no gatilho.

Aos 18 anos, o escritor Caio Fernando Abreu escreveu o conto *O Príncipe Sapo*, que foi publicado na época pela revista Cláudia e que hoje pode ser lido no seu *Ovelhas Negras*. É a história de uma mulher que tem 11 irmãs. Todas casam, menos ela. Em 1966, quando Caio escreveu esta sensível parábola, o preconceito contra a solteirona era muito forte. Hoje, mais de 30 anos depois, também é.

Olhe bem para aquela garota sentada num bar, moderníssima. Ela quer casar. Mire nos olhos da balconista que acabou de atender você. Também quer. A aeromoça, idem. Sua prima, então, não vê a hora. Sim, elas são independentes, viajam, levam camisinha na bolsa, vão ao teatro e lêem Camille Paglia. Mas querem casar, pomba!

Não adianta remar contra a maré. Desde que nascemos, fica combinado assim: cresça, estude e case. Depois faça o que bem entender da sua vida. Tudo te empurra para o altar, a começar pelos desenhos animados. Branca de Neve, Cinderela, até o Mogli encontra sua cara-metade. Festa de São João termina em casamento na roça. Desfile de moda termina com vestido de noiva. Novela termina diante do padre. O recado está dado: casou, cumpriu. Se vai ser feliz, são outros quinhentos.

Os homens também têm que seguir a mesma trajetória, mas a cobrança é menor. Não existe um relógio biológico apressando a paternidade e não há tanto preconceito se a solteirice estender-se um pouco além da conta. Símbolo de status, para os homens, é um carro importado, um terno feito sob medida e meia dúzia de cartões de crédito. Para as mulheres, nada disso parece valer grande coisa sem uma aliança no dedo.

Pois bem. Não casou aos 20, não casou aos 30, mas está a fim. O que fazer? Primeira providência: olhar-se no espelho demoradamente. O que você vê? Olhos castanhos, boca miúda, corpo razoável. Nenhuma obra-prima, mas nada que um batom e um decote não resolvam. Avaliação errada. O que os homens podem enxergar em você é um certo olhar de filhote abandonado, uma ansiedade à flor da pele, uma carência afetiva das boas. Olhe no espelho de novo. Por trás da maquiagem, pode haver uma mulher suplicando para que tomem conta dela. Cuidado, eles farejam no ar.

Solteirice indesejada rima com amargura, ironia, baixo astral. É assim que você quer arrasar corações? Homem nenhum quer responsabilizar-se por uma marmanja, ainda mais de mal com a vida. Assuma sua solidão, tire proveito dela, mostre ao mundo que você se basta, mesmo que não tenha certeza disso. Homens querem companheiras, não irmãs mais moças que necessitam de guarda-costas. Se você ficou solteira mais tempo do que desejava, comporte-se como casada, e terá todos os homens a seus pés.

Mulher casada não está nem aí para o estado civil dos outros homens. Mulher casada não avalia "partidos": para ela, todos os homens são interessantes. Mulher casada não fica aflita para que peçam seu número. Mulher casada está pouco ligando para o que os outros pensam a seu respeito. Enfim, a mulher casada é infinitamente mais livre do que a solteira, pois já cumpriu o papel que a sociedade exigiu dela – casou! – e agora tem o resto da vida para ser ela mesma. Ninguém pode ser mais autêntica.

Vamos brincar de manual de auto-ajuda. Em primeiro lugar, aparente ser muito ocupada, mesmo que passe todas as noites comendo doritos em frente à tevê. Mantenha correspondência com alguém misterioso, nem que seja seu irmão que mora em Itapecerica da Serra. Tenha alguns segredos e dê a entender que sua vida sexual deixaria Madonna escandalizada. Entre nos lugares já de olho no relógio, como se estivessem esperando você no outro lado da cidade. Demonstre ser absolutamente indisponível. E volte correndo para casa: seu telefone já começou a tocar.

Nossos comerciais, por favor

Há muito tempo que a propaganda deixou de ser assunto exclusivo de publicitários e passou a ser discutida por qualquer espectador. Toda pessoa razoavelmente bem informada já ouviu falar em Washington Olivetto e Nizan Guanaes, sabe o nome de duas ou três agências importantes e canta de cor a letra do seu jingle favorito. A propaganda está na boca do povo, principalmente depois que o fotógrafo italiano Oliviero Toscani, responsável pela campanha mundial da Benetton, andou soltando o verbo no programa Roda Viva.

Não foi uma entrevista, foi uma luta de boxe. À esquerda do ringue estava Toscani, o antipublicitário: malvestido, malbarbeado e martelando o velho discurso de que a propaganda, como aliada do sistema, não produz consciência social e se alimenta da desigualdade.

À direita do ringue, os publicitários de carteirinha, com destaque para Francesc Petit, um dos donos da DPZ: todos muito fashion, defendendo com unhas e dentes o direito de vender sonhos e estimular necessidades supérfluas.

Ao meu ver, deu empate. Ninguém estava totalmente certo ou totalmente errado, e apesar de todos os golpes desferidos, a discussão continua de pé. Toscani não é o gênio que propagam alguns, nem é ingênuo, como acusam outros. É um homem inteligente que obteve notoriedade por conceber uma campanha publicitária que fugiu um pouco dos moldes tradicionais. Segundo ele, a marca Benetton associou-se a temas como racismo, sexo, Aids, guerras e minorias, tudo com a singela intenção de fazer o ser humano olhar-se diante do espelho e não fugir da realidade que o cerca.

Tocante, mas não é bem assim. A Benetton quer vender tanto quanto Calvin Klein, Gap e Banana Republic, só para citar alguns dos seus concorrentes internacionais. Para isso, Toscani recebeu um briefing que é sopa no mel: reforçar a imagem da Benetton com a veiculação de uma mesma campanha nos quatro cantos do mundo. Foi lançado o slogan *United Colors of Benetton*, como poderia ter sido *We are the World*. Com uma mídia desta proporção, Toscani foi hábil em buscar temas de interesse universal, que mobilizassem tanto os Estados Unidos quanto o Japão, tanto a Europa quanto o Brasil.

É um oportunista? Claro que não. É um cara que descobriu um filão e fez um trabalho profissional, sem nenhum caráter benemérito. Amanhã pode lhe cair nas mãos um pedido para uma campanha de sabão em pó, cujo alvo são as donas-de-casa da Sicília. Aí vamos ver se a foto de um carro explodindo na frente de um colégio e manchando de sangue o uniforme de uma estudante será assim tão festejado.

É precipitado julgar um publicitário por uma única campanha. Toscani tem razão em dizer que a propaganda tem abusado de velhas fórmulas e está viciada em reproduzir-se a si mesma, e nos apresenta uma boa alternativa com sua campanha. Mas não tem autoridade para julgar todo o trabalho feito até agora por profissionais competentes que nunca tiveram a pretensão de ser artistas e mudar o mundo. Todo publicitário consciente sabe que a arte é um instrumento a serviço da propaganda, não o seu fim. Woody Allen e Fellini nunca foram indicados para o Oscar pelos comerciais de televisão que dirigiram, nem Fernando Pessoa se consagrou pelas pérolas que redigiu quando era publicitário. Propaganda é outra coisa. É informação direcionada ao consumo, embalada para presente e com um código de defesa do consumidor para fiscalizá-la.

Há, como em toda profissão, gente honesta e desonesta. Um publicitário pode, com a conivência do cliente que representa, dizer que é possível uma pessoa perder 15 quilos em dois dias tomando um determinado chá. Assim como um ginecologista pode fazer nove cesarianas a cada 10 partos, um psicanalista recomendar cinco sessões semanais para uma paciente que brigou com o namorado ou um advogado livrar da cadeia um homicida. Qual destes profissionais está vendendo mais ilusões? Chega de colocar a propaganda no banco dos réus.

A loteria dos espertos

A edição de 9 de agosto da revista *Veja*, que circulou semana passada, trouxe duas notas e uma pequena matéria que tratavam do mesmo assunto: indenizações. A revista noticiou que uma garota de 13 anos receberá um milhão de reais das Lojas Americanas por ter sofrido "um trauma irreparável" ao ser acusada de roubar um caderno. Em outra página, soubemos que quinze funcionárias de uma empresa de cosméticos americana irão receber 1,2 milhão de dólares por terem sido vítimas de assédio sexual. A acusação: um executivo tocou no seio de uma delas, abusou dos palavrões e compareceu a reuniões com a braguilha aberta. E, finalmente, a revista publicou a história de um deputado estadual que, anos atrás, comandava um programa policial de rádio bastante polêmico, e que ganhou na Justiça o direito de ser indenizado pela Rede Globo de Televisão, que foi acusada de ter se inspirado no radialista para construir um personagem da novela O Salvador da Pátria, exibida em 1989. O milhão do deputado já poderia estar a caminho, mas ele achou a quantia insignificante diante dos seus danos morais e patrimoniais e recorreu.

Todos estes casos foram julgados, e uma vez decretada a sentença, não há por que duvidar de que, de uma maneira ou de outra, os réus tenham mesmo sofrido alguma espécie de constrangimento. Eu também não acharia nada engraçado se um segurança truculento viesse me acusar de estar roubando um ovo Kinder que fosse, e iria me indispor bastante com um chefe metido a engraçadinho.

É claro que empresas e funcionários que cometem erros precisam assumir a responsabilidade de seus atos, mas é no mínimo estranho ver nossa intimidade ganhar um preço no mercado. Quanto vale passar uma vergonha? Quanto custa uma intimidação? De repente ficou muito fácil ganhar um milhão de dólares, bastando para isso estar no lugar certo com a pessoa errada e ter um bom advogado. Não estou dizendo com isso que um pedido de desculpas é suficiente para fazer tudo voltar ao normal. Perder dinheiro é o pior castigo, tanto para pessoas físicas como jurídicas, e quando se trata de uma quantia vultuosa, não há quem não aprenda a lição. Mas fica no ar um cheirinho de exploração que acaba por deixar um pouco nebulosa a inocência da vítima.

Não é o caso de um paciente que entra num hospital para tirar um cisto e sai de lá sem as duas pernas. Não é o caso de um filho que vê seu pai e sua mãe serem atropelados por um motorista bêbado e fica sem ter quem o sustente. Não é o caso de milhares de pessoas que perdem suas casas, sua saúde e sua família por negligência alheia e com isso têm sua trajetória de vida totalmente modificada pelo destino. Essas pessoas merecem ser ressarcidas pelo seu prejuízo, e não importa a quantia determinada, sempre será pouco para quem perdeu a chance de ser feliz.

Estamos agora vivenciando um momento histórico no Brasil, onde o governo finalmente assumiu a responsabilidade pelos desaparecidos durante o regime ditatorial e vai, com um atraso imperdoável, emitir atestados de óbito e indenizar as famílias que, além da dor, cultivaram estados civis incertos, sem direito a receber pensões e seguros de vida.

É complicado selecionar quem tem e quem não tem o direito de ser recompensado por uma lesão. É difícil calcular pagamentos justos. É incômodo associar sentimentos com dinheiro. O ideal seria julgar todos os casos através do bom senso, não fosse utópico. Resta confiar na lei e torcer para que haja mais discernimento. Se ninguém quer ter sua dignidade colocada em dúvida, o primeiro passo é parar com esse truque de dormir ofendido para acordar milionário.

O OUTRO LADO DA MEIA-NOITE

Você é do tipo que vai para a cama às dez da noite e dorme feito uma pedra até às nove da manhã do outro dia. Ou então só adormece depois das três e acorda na hora do almoço, sem um pingo de culpa. Não importa. Pelo menos uma vez na vida, todos nós, boêmios ou não, já percorremos uma madrugada de ponta a ponta sem pregar o olho. A razão? Brincando de médico com um sósia do Antonio Banderas. Ou levando um baile do bebê recém-nascido. Nã, nã, nã, nã, nã. Insônia, meus caros.

Acontece comigo de vez em quando, sem data marcada e por nenhum motivo aparente. Tudo começa quando estou no meio de um livro e não consigo manter as pálpebras abertas. Rendida pelo cansaço, apago as luzes, fecho os olhos e aguardo ser tragada pelo mundo dos sonhos, já que tudo indica que vai ser vapt-vupt. Mas que nada. Ao desligar o abajur, algo se acende dentro de mim. Seria perfeito se fosse minha libido, mas quase sempre é a minha cabeça que resolve dar expediente fora de hora.

A maioria das pessoas tem um rádio-relógio na mesinha de cabeceira, por que eu seria diferente? Pois fico com as duas pupilas grudadas naqueles números digitais, fazendo as contas. "Duas e meia. Se eu pegar no sono agora, dá para dormir pelo menos umas cinco horas. É mais do que deve dormir o FHC." Procuro não pensar em nada, e quando estou quase sendo engolida pelo inconsciente, me pego planejando o almoço de amanhã ou idealizando umas férias com o meu marido.

Eu falei "marido"? Menina, você está salva!

Ajeito o cabelo, umedeço os lábios e viro para ele com a disposição de quem trocou o Lexotan por um poderoso afrodisíaco. Quando vou sussurrar algo bem romântico no seu ouvido, sou surpreendida por um ronco saído das profundezas da alma. Não fosse quatro horas da manhã, juraria que é a minha filha no quarto ao lado assistindo pela enésima vez o vídeo do *Rei Leão*. Conforme-se, não deve ser nada pessoal.

"Vinte para as cinco. Se eu pegar no sono agora, ainda ganho umas três horas de descanso. Tem motorista de caminhão que nem isso." Mas nada de vir o sono. Já se está naquela etapa da noite em que os pingos da torneira parecem tiros, que o miado do gato parece o grito de uma mulher sendo esfaqueada e que os estalos da madeira parecem os passos de um marginal no corredor da casa. Pânico noturno. Qualquer coisa assusta, isso que você ainda nem viu suas olheiras no espelho.

Sete e vinte. Os primeiros raios de sol iluminam o quarto e você sente que está atrasada para alguma coisa, mas não lembra o quê. O Rei Leão acorda, se espreguiça e pergunta, todo carinhoso, se você dormiu bem. Sem força para reagir à provocação e precisando urgentemente de uma chuveirada, você levanta da cama. E a vida recomeça como se nada de anormal houvesse acontecido: café-da-manhã, carros buzinando, a obra do vizinho a mil. Seu filho mais moço pergunta "que cara é essa, mãe?" e você sorri, porque sorrir exige menos esforço do que cair em prantos. Despacha toda a família para seus afazeres matinais e dirige-se ao telefone. "Alô, Ivone? Sou eu. Eu, Ivone, eu, eu Não está reconhecendo a minha voz? Avisa aí que eu não vou trabalhar hoje. Tô com caxumba. Não, não tive quando criança, vê que coisa."

Janelas trancafiadas e secretária eletrônica emudecida. Você estica os lençóis e se joga na cama de novo. Parece que tem um cômoro de areia em cada olho. O rádio-relógio marca nove e quinze. Às dez você tinha massagem. Às onze, reunião com um fornecedor. Às quatro, festinha no colégio das crianças. O mundo há de sobreviver sem a sua presença. Quando finalmente você está pegando no sono, ouve uma batida na porta do quarto e uma voz familiar: "A senhora já resolveu o que vai querer para o almoço?". Nada como um dia atrás do outro.

Meryl Streep, chorai por nós

Não há quem já não tenha dado uma choradinha no escuro do cinema. Muitos adultos verteram baldes de lágrimas no final de *Love Story*, enquanto crianças soluçam até hoje na cena em que a mãe do Bambi vai pro céu. São duas horas de desligamento onde acontecem as maiores catarses. Alguns abrem o berreiro sem embaraço, outros fingem estar gripados. Há aqueles que puxam uns óculos escuros providenciais, mesmo que esteja um breu lá fora. Chora-se até em filme com o Eddy Murphy, o que me parece compreensível. *As Pontes de Madison* é mais uma oportunidade para lavar a alma.

A platéia inteira abre a torneirinha nos últimos vinte minutos do filme, homens e mulheres. Mas o motivo do choro não é a morte, que tanto nos fez chorar em *Filadélfia, Terra de Sombras, Flores de Aço* e outros campeões de tortura. A perda de um familiar ou de um amigo, mesmo na ficção, sempre gera reações emocionadas, seja porque já se passou por isso, seja porque ainda vai se passar. Impossível não se colocar no lugar de Shirley McLaine na cabeceira da filha no final de *Laços de Ternura*. Que bala azedinha, que nada, eu quero é um lenço de papel.

As Pontes de Madison não trata da morte, pelo menos não as deste tipo, consideradas trágicas por serem decididas pelo destino. A morte de *As Pontes de Madison* é mais cruel: é a morte que nos auto-impomos para sobreviver num mundo onde as regras sociais são mais importantes do que os nossos instintos naturais.

A história do filme, para quem não sabe, é a de uma mulher de meia-idade, casada e com dois filhos adolescentes, que conhece um homem e vive com ele um romance durante quatro dias enquanto sua família está fora da cidade. Nestes quatro dias ela redescobre em si valores e sentimentos que haviam sido abafados por anos e anos de um casamento morno e rotineiro. Qualquer semelhança com a vida real não é mera coincidência.

Em um dos muitos diálogos entre Clint Eastwood e Meryl Streep, protagonistas do filme, aparece uma frase que Woody Allen já havia usado em *Crimes e Pecados*: "A gente é a soma das nossas decisões". Nada é mais verdadeiro: todos nós somos frutos das nossas escolhas, e muitas vezes nos tornamos vítimas delas. Uma mulher que se casa aos 20 anos, abandonando a profissão e dedicando-se unicamente à família, não fez uma escolha errada. Naquele momento da sua vida, era o que ela queria para si. Mas o tempo não pára. Esta mesma mulher cresce e vê seus antigos sonhos darem lugar a novos desejos. Seria simples se fosse apenas uma questão de acumular atividades, realizações, vivências, mas geralmente é preciso abrir mão de uma coisa em função de outra, e é aí que é preciso escolher quem, entre todas as mulheres que somos, será sacrificada.

Ninguém é 100% maternal, ou 100% aventureira, ou 100% executiva. No entanto, muitas pessoas escolhem um único papel para exercer na vida, anulando todas as outras possibilidades. Fazem isso porque não acreditam na sua capacidade de administrar muitos "eus" dentro de si, optando por dedicar-se a um só, como se ele pudesse resistir sozinho a tantos apelos externos.

Francesca, a personagem de Meryl Streep, era mãe de forno e fogão em tempo integral, até que encontrou um homem que conseguiu enxergá-la além do estereótipo, despertando nela outra Francesca, que gostava de dançar, que sentia falta de lecionar, que desejava conhecer lugares exóticos. Cabe a ela, no final do filme, decidir qual a Francesca que deve sobreviver: a dona-de-casa convencional ou a mulher que quer sair mundo afora em busca de si mesma. Todos os dias passamos por esta provação, mas se desde cedo nos acostumarmos com a presença de nossas outras personalidades, sem tentar mascará-las, as escolhas serão feitas com menos trauma. Chama-se a isso amadurecimento. Dói, por isso choramos.

Que a informática dominará o mercado editorial, ninguém discute. Assim como já podemos "ler" um livro pelo toca-fitas do carro, muito em breve será possível devorar um Jorge Luis Borges através da tela do computador. Outro dia, conversando com um editor, fui devidamente catequisada: o livro como o conhecemos hoje, feito de papel, está condenado. Abram alas para o livro digital!

Diante desta profecia desanimadora, recorri aos clichês de praxe: como levaremos o livro para a praia, para a cama, para a rede? Elementar, minha cara Neanderthal, respondeu o editor. O computador não será o trambolho que conhecemos hoje. As telas serão menores do que uma calculadora de bolso e poderão ser acopladas nuns óculos, por que não?

Seja feita a vontade de Bill Gates. Mas, no que me diz respeito, não vou deixar meus livros virarem peça de museu. O livro não é um produto descartável: usou, jogou fora. Nunca fiz isso nem com namorado, imagine com um livro, que é muito mais útil.

Existe uma sensível diferença entre gostar de ler e gostar de livros. Muitos dos que se incluem no primeiro grupo lêem apenas revistas, manuais de instruções, outdoors, bulas de remédio, encartes de discos, volantes distribuídos em sinaleiras e um que outro best-seller, tudo em nome da informação. Nada contra, antes isso do que ser analfabeto.

E há os fanáticos. Aqueles que têm com o livro uma relação íntima, quase religiosa, e que não deixam para abri-lo só quando a tevê está estragada. Eu, por exemplo, gosto do cheiro dos livros. Gosto de interromper a leitura num trecho especialmente bonito e encostá-lo contra o peito, fechado, enquanto penso no que foi lido. Depois reabro e continuo a viagem. Gosto de sublinhar as passagens mais tocantes. Gosto do barulho das páginas sendo folheadas. Gosto das marcas de velhice que o livro vai ganhando: orelhas retorcidas, a lombada descascando, o volume ficando meio ondulado com o manuseio. Tem gente que diz que uma casa sem cortinas é uma casa nua. Eu penso o mesmo de uma casa sem livros. É como se fosse habitada por pessoas sem imaginação, que não têm histórias pra contar. Prefiro casas assombradas pelos fantasmas de Virginia Woolf, Monteiro Lobato, Dorothy Parker. Prefiro até mesmo um Paulo Coelho jogado em cima do sofá do que uma almofada comprada em Santiago de Compostela, vejam a que estado cheguei.

Reconheço que esta minha resistência à tecnologia é antiga e inútil. Até hoje morro de saudades das charmosas máquinas de escrever manuais, com seu tlec-tlec-tlec, o chão lotado de papéis amassados e um cigarro abandonado aceso no cinzeiro. Acho a cena romântica à beça, eu que nem fumo. Não nego que viver sem computador, hoje, é o mesmo que viver sem geladeira. Mas não consigo imaginar o livro deixando de ser um objeto para ser um equipamento. O livro podendo ser apagado. As livrarias se transformando em lojas de disquetes. Todos os volumes de uma biblioteca cabendo numa única gaveta. Como serão as sessões de autógrafos? Que graça terão as aulas de inglês, se o *book* não estará mais *on the table*?

Que venham as Bienais e Feiras do Livro cibernéticas, mas não se apressem por minha causa. Folhear um livro com o mouse não haverá de ser o meu hobby preferido.

Em primeiro de janeiro de 1970 eu tinha oito anos de idade. Acreditava que vivia no melhor país do mundo, a ponto de pensar em pendurar o poster do Médici na parede do quarto. Passava as tardes cantarolando *Eu te amo, meu Brasil* pelos corredores do colégio. Assisti emocionada ao final da Copa do México, Brasil 4 x Itália l, histeria nacional. Na época, se não me engano, a novela das oito era Selva de Pedra, com Regina Duarte e Francisco Cuoco vivendo um romance tórrido e impossível. Eu rezava todas as noites, antes de dormir, agradecendo a Deus por o mundo ser tão belo, as pessoas tão boas, o Brasil tão rico, minha família tão perfeita. Meu sonho era, assim que ficasse mocinha, casar com um príncipe encantado (virgem, naturalmente), ter meus próprios filhos e viver feliz para sempre, como mandam os contos de fada.

Em primeiro de janeiro de 1980 eu tinha 18 anos. Estava no primeiro ano da faculdade de Comunicação, namorava um colega que estava mais para Raul Seixas do que para príncipe, não perdia um único filme do Godard, tinha Sartre e Simone de Beauvoir na mesa de cabeceira e cantarolava *Cami-*

nhando e cantando... pelos corredores da PUC. Na tevê, não queria saber das namoradinhas do Brasil, mas de um programa chamado Ciranda, Cirandinha, episódios semanais que narravam as aventuras de quatro jovens morando numa espécie de comunidade, um dos bons momentos da TV Globo. Passava os finais de semana no teatro e não conseguia tirar da cabeça *Trate-me leão*, peça que havia assistido três vezes e cujo texto sabia de cor. No guarda-roupa, só jeans, camiseta e tênis, meu uniforme tanto para assistir aos shows do Projeto Pixinguinha como para a noite de Natal. Colecionava uma revista chamada Pop e minha música preferida era *Beast of Burden*, dos Rolling Stones. Onde foi parar aquela garotinha meiga e ingênua de dez anos atrás? Babaus.

Enquanto os anos 70 representaram, para quem já era mulher feita, a consolidação das conquistas femininas rascunhadas nos anos 50/60, para mim, que era um projeto de gente, representaram o salto da infância para a adolescência, e custaram tanto a passar que reluto em acreditar que tenham sido só dez anos. A minha década de 70 durou um século.

Fui alienada como foram quase todas as garotas pré-revolução feminista: simplesmente adorava ser mulher. Achava um privilégio ter nascido no lado cor-de-rosa da vida, onde homens puxam a cadeira para você sentar, te protegem da vida dura lá fora e, supra-sumo da mordomia, trabalham para te sustentar, enquanto tua única missão é dar-lhes um filho, lavar as panelas e manter as unhas limpas.

Que nos importava a previsão do tempo se não botávamos o nariz para fora de casa? Nascer mulher, que barbada!

Quando os seios começaram a crescer, uma certa rebeldia também veio à tona. Me olhei no espelho, desengonçada como um pangaré, e pensei: ser homem é que é bom. Vive na rua, conhece um monte de gente, é dono do próprio dinheiro e não precisa dizer a que horas volta. Aliás, ai dele se voltar cedo. Quanto mais namoradas, melhor. Casar? "Vira essa boca pra lá, meu filho, ainda é cedo, você só tem 36 anos." Homem pede carona na estrada, anda sem camisa, não precisa debutar. Nascer mulher, que roubada!

Meus anos 70 foram assim, esse oásis de tranqüilidade mental. No começo, uma paquita. No final, uma Rê Bordosa. Hoje não sei dizer se esta oscilação, de um extremo a outro, tem a ver com as mudanças de comportamento características da década pigmaleão ou se eram tão-somente os ritos de passagem da juventude, dos quais todos nós somos vítimas. O fato é que dei uma virada radical na minha cabeça ao mesmo tempo em que o mundo feminino também dava a sua, e só agora este radicalismo começa a ceder lugar à sensatez.

Ser mulher nunca foi uma maravilha, assim como nascer homem está longe de ser uma graça dos céus. Há problemas e vantagens em ambos os lados e, juntos, estamos fundando uma nova sociedade, sem tanto estereótipo e com um pouco mais de bom senso. Se um homem quer pagar sozinho a conta do restaurante, aceito a gentileza sem discussão. Não é isso que determina se uma mulher é moderna ou careta. Mas precisar da autorização do marido para sair com as amigas ou para aceitar um emprego, aí não há romantismo algum, apenas alienação juvenil, a mesma dos verdes anos.

Se os anos 60 foram a infância do movimento feminista, os anos 70 foram sua adolescência, com o desbunde pelo novo e a ansiedade para conquistar seu espaço. Missão cumprida. Ganhamos a chave de casa e hoje o *flower power* não passa de uma lembrança no porta-retrato. Uma vez adultas, aí é que a farra começou.

Orlando x Veneza

Ninguém é tão auto-suficiente que não sofra influência de alguém ou de alguma coisa. As crianças imitam os pais, depois os super-heróis, depois os ídolos, até virarem adultos. É assim com todo mundo, inclusive com o nosso país. O Brasil ainda é adolescente e está naquela fase de idolatrar qualquer coisa que lhe dê a sensação de ser moderno, e para isso espelha-se nos Estados Unidos, como se este fosse um irmão mais velho. No entanto, os States não passam de um irmão do meio. Um irmão vidrado em jogos eletrônicos, que tem uma coleção de bonés, só namora loiras peitudas e cuja maior qualidade é transformar tudo o que toca em dinheiro. O verdadeiro irmão mais velho, aquele mais experiente, que tem os melhores livros e os discos mais raros, parece não fazer parte da família. A Europa é careta, pensam os caçulas da casa, enquanto assistem a *Quanto Mais Idiota, Melhor.*

Longe de mim desprestigiar a terra de Tio Sam, berço do jazz e do blues, pátria da liberdade, o maior parque de diversões do mundo. No mínimo, é lá que está Nova York, o que conta preciosos pontos. Mas não basta respirar ares americanos para um cidadão tornar-se livre e cosmopolita. Em termos de comportamento, os Estados Unidos continuam na idade da pedra. Apesar de todos os Macintosh instalados, insistem em cultivar um moralismo cada vez mais conservador e só têm olhos para o próprio umbigo. Milionários, é verdade, mas do que isso adianta, quando nunca se saiu do próprio bairro?

Enquanto os Estados Unidos consomem, a Europa desfruta. Sente no restaurante mais chique de Manhattan e você comerá divinamente, mas não terá a menor graça se não contar para os amigos quanto pagou, quanto deixou de gorjeta, quem estava sentado na mesa ao lado e quanto tempo levou para conseguir a reserva. Já ao entrar num café vienense ou num bistrô francês, inicia-se um ritual particular, feito sem pressa e sem necessidade de ser comentado. Nunca se está sozinho: há os candelabros, os *habitués* lendo o jornal nas suas mesas cativas, a música de fundo que parece silêncio, e há os garçons da casa, que você juraria que trabalham lá desde a inauguração, não houvesse uma placa na parede dizendo: "Fundado em 1786".

Há os rios que atravessam as cidades. Rios com cisnes. E pontes de diversos tamanhos e estilos, imponentes, românticas, todas ligando algo encantador a algo magnífico. Não há réplicas, tudo é autêntico. Há monumentos como a Torre Eiffel, catedrais como o Duomo, museus como o Prado, montanhas como os Alpes, e há a Itália, onde fica uma jóia chamada Veneza. Ninguém lembrará de

Boston, Carmel ou San Francisco depois de dar uma caminhada por suas ruelas. Veneza não é uma cidade: é uma miragem, assim como Shangrilá, como Pasárgada. Aqui, na frente do meu computador, me custa acreditar que neste momento os gondoleiros estejam cruzando seus canais, que pessoas estejam passeando em Rialto e que as pombas estejam posando para fotos na Praça de San Marco. Veneza só existe para quem está lá.

Moderno é isso, então? Pois não troco pelo meu Big Mac, devem estar pensando aqueles que não sabem do que Barcelona, Londres e Amsterdam são capazes. Modernidade não se pluga na tomada, mas na cabeça. Em nenhum lugar do mundo a igualdade entre homens e mulheres está tão consolidada como na Europa, principalmente nos países escandinavos. Em nenhum lugar do mundo a maternidade é mais opcional, a moda é mais personalizada, a arte é mais reflexiva e a individualidade é mais respeitada. Os europeus têm mais o que fazer do que ficar fuçando o quintal do vizinho. Estão debruçados, isso sim, na janela do mundo, e se preocupam mais com questões ecológicas do que com a cor da pele do Michael Jackson. A Europa não produz mercadorias, produz estilo de vida. Não estimula concorrência, estimula convivência. Não pensa apenas em construir, mas em preservar. E sabe que um único cálice de vinho contém mais história do que duzentas máquinas de Coca-Cola. O Brasil tem que ser, antes de mais nada, Brasil, valorizando suas inúmeras riquezas. Mas se gosta de copiar hábitos e costumes, está na hora de espiar o que acontece do outro lado do oceano.

Vovó é uma uva

A palavra avó nos remete à infância, quando passávamos o domingo numa casa cheirando à comida, com toalhinhas de crochê decorando todos os ambientes e um quarto sempre na penumbra, com móveis de madeira maciça e uma enorme cadeira de balanço, onde cochilava a matriarca. Parece com a casa da sua avó também? Pois guarde esta imagem na lembrança, pois ela não se reproduzirá tão cedo. Já não se fazem mais avós como antigamente.

Os estereótipos não são criados do nada: as avós eram assim mesmo, de cabelo branco e óculos pendurados no nariz. Toda família que se preze teve sua Dona Benta, e a imagem é tão forte que até hoje os comerciais de tevê insistem em caracterizar as vovós como senhoras idosas, rechonchudas, com aventais amarrados na cintura, cabelos presos num coque e aquele ar de quem não faz outra coisa na vida a não ser torta de amoras. E os avôs? Seja na televisão ou no rádio, todos têm voz de Papai Noel, enquanto que, na realidade, os avôs da nova era estão mais para Mick Jagger, que aliás, já tem um neto. Acorde: os avós de hoje não lembram mais das canções de ninar, mas sabem de cor a letra de *Satisfaction*.

Quer dizer que o lobo mau conseguiu engolir nossa vovozinha? As que usavam touquinha e tinham voz rouca foram papadas, sim, meus pêsames. Mas olhe agora, o que vemos? Avós de jeans, dirigindo jipes, cabelo pintado, óculos escuros. Avós que trabalham, que viajam, que dão festas, que namoram. Avós que fazem lipo, aeróbica, jogam paddle e suspiram não pelo Lima Duarte, mas pelo Vitor Fasano. Será que elas sabem pregar um botão? Não custa tentar, mas se a empreitada der errado, não complique. Ela terá o maior prazer em levar a netinha para comprar uma roupa nova no shopping. E o almoço de domingo? Também mudou. As avós de hoje não andam dispostas a engordar nem um grama com macarronadas familiares e muito menos a quebrar suas garras vermelhas lavando panelas. Que tal um buffet frio, muita água mineral e salada de frutas? Combinado, ela entra com a água.

Netos e netas, não se sintam desamparados. As avós de hoje são muito mais participantes. Podem não lembrar direito das histórias de *Gulliver, Pele de Asno* ou *O Gato de Botas*, mas têm histórias pessoais tão encantadoras quanto. São mais divertidas e menos preconceituosas. Têm mais saúde e disposição para enfrentar parques, teatrinhos, zoológicos. E o fato de buscarem a eterna juventude não lhes tirou um pingo do afeto que sentem pela terceira geração. Ao contrário: nunca vi tantas avós apaixonadas por seus netos. É um amor enorme, desinteressado, sem o ônus do compromisso, só do prazer. Sempre foi assim, mas agora há um fator novo: hoje as mulheres têm menos filhos, e em conseqüência, menos netos. Antigamente a família era gigantesca, e não havia memória que chegasse para lembrar o nome de toda a criançada. Hoje são só dois ou três, dá até para providenciar um mini-hotelzinho em casa para hospedá-los no final de semana. Tem mais: o limite de idade para engravidar foi muito ampliado, e hoje uma mulher pode ser mãe e avó quase ao mesmo tempo, encurtando as diferenças entre uma e outra. Se por um lado estamos perdendo a imagem romântica da avó que cozinha, faz tricô e tem roseiras no quintal, por outro estamos ganhando uma avó bonitona, que tem o maior orgulho ao falar de nós para as amigas e que sempre estará disposta a nos dar um colo. Desde que esteja com uma roupa de microfibra, bem entendido.

O amor, que é o que interessa, não mudou. Mas mudaram as avós. Danuza Leão, Baby Consuelo, Constanza Pascolato e tantas outras mulheres que falam gíria, bebem cerveja e estão sempre prontas para uma novidade são avós tanto quanto as nossas saudosas velhinhas de casaquinho nos ombros. Vera Fischer, Betty Lago e tantas outras gatas desta geração também já têm filhos adolescentes que não tardarão a procriar. Passarão, como toda mulher, pela menopausa, pela osteoporose e por outros distúrbios da idade, mas certamente não aceitarão o papel de uma avó caseira, bordadeira e sem outra ambição que não seja cuidar dos netos. Sempre se disse que a avó era uma segunda mãe. Pois ela nunca esteve tão parecida com a primeira.

Topless: atentado ao pudor

O Brasil é extremamente reacionário em determinados assuntos, mas em um aspecto seu avanço em relação a outros países é indiscutível: no que abrange a sexualidade. O brasileiro lida com a própria libido de uma maneira muito menos preconceituosa do que outras nações. Nosso clima, nossas origens indígenas, nosso espírito alegre e festeiro, tudo conspira para deixarmos a maior parte do corpo à mostra sem provocar maiores escândalos. Vivemos numa pátria desnuda.

Pernas e braços de fora já não causam o frisson de décadas atrás, quando um simples furo numa meia-calça era capaz de abalar os alicerces de um homem, como na antológica cena de *O Piano*. O corpo humano passou a ser de domínio público e nada mais nos choca: nem uma aspirante a modelo posando sem calcinhas ao lado de um presidente, nem transparências, nem displicências, nada disso. Tudo acaba virando uma boa charge, uma ótima piada e ninguém perde o sono por causa dessa liberalidade. Num país com tanta miséria, quem vai se importar com seios pulando para fora do decote?

Seios, nada mais inocente. No carnaval estão todos lá, nos carros alegóricos e na pista da Sapucaí, os de Luma de Oliveira e os de Dercy Gonçalves. Novelas, minisséries, desfiles de moda, anúncios publicitários, filmes, revistas, capas de disco, para onde quer que se olhe há um par de peitos piscando para nós. Então por que o brasileiro, tão cabeça aberta nessas questões, fica em estado de choque quando vê uma mulher fazendo topless na praia?

Mistério. No Brasil esse hábito nunca pegou. Na Europa, basta despontar o primeiro raio de sol para toda a população tirar a roupa nos parques. Na Noruega, na Dinamarca, na Suécia, países gélidos, é assim. Em Munique, homens e mulheres dos oito aos 80 anos se reúnem no Englischer Garten e tiram toda a roupa – atentem bem, *toda* – e ficam lendo seu livrinho numa boa, com a pureza de um recém-nascido. Ninguém sai tirando fotos, salivando com cara de tarado ou marcando encontros atrás da moita. Desde a loira escultural até a senhora pelancuda, todos têm sua privacidade respeitada.

À beira-mar o topless é ainda mais comum. Quase todas as mulheres dispensam o sutiã, não importa o estado de conservação de suas glândulas mamárias. Fazem isso porque é mais confortável e também para ganhar um bronzeado uniforme, sem as marcas do biquíni. Particularmente, acho mais bonito usar as duas peças, mas não é de estética que se está falando. É do direito que uma pessoa tem de vestir-se (ou, no caso, despir-se) como bem entender, desde que num ambiente propício e sem agredir quem está a sua volta.

O Brasil pensa diferente. Aqui o topless é considerado exibicionismo, o que gera preconceitos, constrangimentos e, que absurdo, até detenções. Corre-se atrás de ingressos para ver uma atriz tirar a roupa no teatro, mas na beira da praia é perversão.

Topless não é uma atitude sexual e sim uma atitude naturalista. Nós, brasileiros, não nos chocamos com seios à mostra dentro de um contexto erótico. Nudez associada a sexo, tudo bem. Mas à luz do dia, em volta dos filhos, é atentado ao pudor. Basta uma garota fazer topless numa praia de Santa Catarina ou de Pernambuco para provocar um clarão a sua volta, como se ela estivesse com lepra. A verdade é que o brasileiro gosta é de sacanagem, o que cria uma falsa idéia de modernidade. No fundo somos de uma caretice atroz. Dançamos na boquinha da garrafa mas não toleramos a liberdade de costumes.

Toma que o filho é teu

Sempre admirei os casais que adotam crianças. Talvez seja o gesto mais generoso que exista. Um homem e uma mulher, que por alguma razão não podem ter seus próprios filhos, tomam para si a guarda de um recém-nascido dando-lhe amor, conforto, educação e uma vida de oportunidades pela frente. Pouco importa a eles que não hajam laços de sangue, semelhança física ou que não conheçam a herança genética deixada pelos pais verdadeiros. O que importa é que a carência de todos, pais e bebê, foi preenchida e que dali por diante será criado um ambiente familiar como outro qualquer.

É uma generosidade diferente da que observamos no dia-a-dia. Eu posso ser generosa ao emprestar minha casa de praia para um amigo veranear, ou conseguir estágio para um estudante recém-saído da faculdade, ou dormir no hospital com um parente que acaba de ser operado. Como estes, há centenas de gestos bacanas que tornam as relações humanas menos egoístas. Só que são gestos momentâneos, que resolvem problemas isolados, sem necessidade de envolvimento posterior. Adotar um bebê é diferente. Não se está brincando de boneca ou fazendo a boa ação do dia. Quem adota uma criança está adotando também um sentimento que vai crescer a cada minuto e que vai transformar sua vida de uma maneira definitiva.

Faço esta introdução para entrar num assunto delicado, polêmico e triste como poucas coisas costumam ser. É o caso de pais que, arrependidos por terem doado seus filhos, entram na justiça para reavê-los. Está acontecendo outra vez. Tempos atrás, uma mulher doou suas duas filhas gêmeas, uma para cada família. Elas foram criadas, até onde se sabe, com amor, num bom ambiente, sem nenhum tipo de discriminação. Hoje elas têm cinco anos. E os pais verdadeiros agora as querem de volta, mesmo sem condições de criá-las. Requereram a custódia das crianças para entregá-las a uma avó, uma desconhecida para as meninas.

Como se sabe, uma criança de cinco anos tem a estrutura familiar completamente assimilada dentro de si. Ama seu pai e sua mãe com intensidade e sente-se desprotegida sem eles. De que maneira veio ao mundo, pouco importa. O que interessa é que ela já tem referências: seu quarto, seus brinquedos, sua creche, seus vizinhos, sua família. Fora deste círculo, tudo é estranho. Imagine seu filho. Como ele se sentiria se você fizesse a malinha dele e dissesse que ele teria outra mãe, outro pai, outra casa? Nem várias sessões diárias com Freud em pessoa curariam esse trauma.

Os pais adotivos também se sentem legítimos.

O que os diferencia dos outros? A gestação, o parto? Absurdo. Eles não alugaram um filho como se aluga um vídeo na locadora. Crianças não são produtos que vêm com prazo de validade. A dor de forçar os pais a devolvê-los, de ter que assistir aos inocentes chorando, suplicando para ficar, deve ser pior do que qualquer tortura.

Não entendo nada de Direito, a não ser que não se faz justiça baseando-se em reações emocionais, mas adoraria que houvesse uma lei assim: pais que dão seus filhos em adoção, não importa o grau de instabilidade mental ou de miséria em que viviam na época, ficam proibidos de reavê-los. Poderão visitá-los, mas requerer a guarda definitiva, nunca mais. O Brasil tem milhões de adultos analfabetos que tomam atitudes impetuosas sem pesar as conseqüências. É muito triste. Mas mais triste ainda é obrigar homens e mulheres a abrirem mão de uma paternidade já iniciada. É o que se chama mutilação.

A CLASSE ECONÔMICA VAI AO PARAÍSO

Millôr Fernandes uma vez escreveu que quem gosta de viajar é gentinha. Apesar de eu adorar viajar e odiar a palavra gentinha, tenho que reconhecer que a afirmação tem sua razão de ser. Com a moeda estável, viajar deixou mesmo de ser um prazer exclusivo dos bem-nascidos: basta dar uma espiada nas areias de Cancún. Executivos e socialites já freqüentam o mesmo mar caribenho onde mergulham suas secretárias e motoristas. First class ou classe econômica, estamos todos no mesmo avião.

Viajar pode, sim, ser um tremendo programa de índio. Basta que o turista não siga as regras básicas do turismo inteligente. Na turma dos deslocados estão, por exemplo, aqueles que resolvem fazer a Europa inteira numa única viagem. Acabam conhecendo 20 cidades em 30 dias, ficando a média de um dia e meio em cada lugar. Nesses casos, é comum o turista achar que a Avenida Champs-Elysées fica em Bruxelas e que em Londres faz sol o tempo todo, só porque no dia em que esteve lá, milagrosamente, fez. É compreensível que pessoas sem grande poder aquisitivo, que pressentem estar tendo a única oportunidade de suas vidas de viajar para o exterior, queiram aproveitar para conhecer o máximo que puderem, mas esse verbo conhecer acaba ficando mal conjugado.

Tem também aquela turma que nos mata de vergonha: os espertinhos, ou que se julgam como tal. São aqueles que saltam por cima das roletas de metrô para não pagar a passagem, que escondem CDs dentro dos casacos e que pensam que cinzeiros e toalhas de hotel são suvenires. Geralmente essa turma é composta por pessoas que, aqui no Brasil, se comportam como lordes ingleses, mas que em solo estrangeiro resolvem usufruir as delícias do anonimato.

Um grupo engraçado é aquele formado por casais que são amigos íntimos. Jantam fora todos os sábados, vão juntos ao cinema, às festas, às missas de sétimo dia, parecem irmãos siameses. Até que têm a brilhante idéia de fazer uma viagem em grupo. Passar dias e dias grudado 24 horas com amigos de infância pode parecer a coisa mais simples do mundo, mas longe disso. Muitas vezes esses amigos "pra vida toda", que vão daqui até lá cantando a Macarena dentro de um boeing 767, voltam em vôos diferentes e nunca mais se telefonam. A convivência diária é implacável, seja aqui ou em Madri. Uns gostam de acordar tarde, outros não querem perder o café da manhã incluído na diária. Uns querem passar a tarde no Museu do Prado, outros acham que Velázquez é nome de jogador de futebol. Uns querem assistir a uma tourada, outros acham que matar uma mosca já configura um assassinato. É por isso que eu digo:

amigos, amigos, viagens longas à parte. Tripulação máxima, dois, e ainda assim vai haver derramamento de sangue de vez em quando.

Não posso deixar de mencionar a turma que só tem olhos para as vitrines. Viajar com o único objetivo de fazer compras, só se você já viu o que tinha que ver em viagens anteriores e, mesmo assim, deve reservar um tempo para caminhar pelas ruas da cidade e rever seus locais preferidos, deixando para visitar as lojas entre um programa e outro.

Mas para sacoleiros natos, *tiempo es dinero*. Para eles, estar em Miami ou Nova York dá na mesma, desde que haja um camelódromo em volta do hotel. E não pense que eles vão comprar batons, camisetas, porta-retratos, essas coisinhas *mignon*. Compram televisores, carrinhos de bebê, botas de esqui, tudo tamanho gigante. Uma vez ouvi o seguinte diálogo entre duas brasileiras na sala de embarque de um aeroporto internacional:

– Como é que você fez para embalar os treze cachepôs de cerâmica?

– Os que eu comprei perto daquele rio na Suíça?

– Não, os que você comprou perto daquela igreja na Itália.

– Sei, aquela igreja. Que igreja era aquela mesmo?

– E eu que vou saber?

"Aquela igreja" era a Basílica de São Pedro, no Vaticano.

Mãe é mãe: mentira.

Mãe *foi* mãe, mas faz um tempão. Agora mãe é jogadora de basquete, é top model, é atriz, é superstar. Mãe, além disso, é pediatra, cozinheira, lavadeira, psicóloga, motorista. Também é política, tirana, ditadora, não tem outro jeito. Mãe é pai. Sustenta a casa, fuma charuto e está jogando um bolão. Mãe é irmã: empresta as roupas, vai a shows de rock e disputa namorado com a filha. Mãe é avó: pode ter um neto da mesma idade que seu filho. Mãe é deputada, é sem-terra, é destaque em escola de samba, é guarda de trânsito, é campeã de aeróbica. Só não é santa, casta e pura, a não ser que você acredite em milagres. Mãe *foi* mãe, agora é mãe *também*.

Mãe é uma só: mentira.

Todas as crianças que têm uma avó presente e participativa, de certa forma, têm duas mães. Empregadas que vivem na casa da família desde o nascimento até o casamento da garotada também merecem o título de mães de criação. Hoje foram substituídas por babás que, mesmo sem criarem os laços afetivos de antigamente, continuam sendo de uma ajuda valiosa. Uma médica que salve uma vida, uma fisioterapeuta que corrija uma deficiência, uma advogada que liberte um inocente, todas são um pouco mãe. A própria Camille Paglia, que conhece o instinto maternal só de fotografia, admitiu numa entrevista que lecionar não deixa de ser uma forma de exercer a maternidade. O certo seria: mãe, todos têm *pelo menos* uma.

Ser mãe é padecer no paraíso: mentira.

Que paraíso, cara-pálida? Paraíso é o Taiti, a Grécia, Bora-Bora, onde criança não entra. Estamos falando da vida real, que é ótima, muitas vezes, e aborrecida, quase sempre. Quanto a padecer, bobagem. Tem coisas muito piores do que acordar de madrugada no inverno para amamentar o bebê, trocar fraldas e fazer arrotar. Por exemplo? Ficar de madrugada esperando o filho adolescente voltar da festa de um amigo que você nunca ouviu falar, num sítio que você não tem a mínima idéia onde fica.

Maternidade, missão de toda mulher: mentira.

Maternidade não é serviço militar obrigatório. Deus nos deu um útero mas o diabo nos deu poder de escolha. Filhos, melhor não tê-los, mas se não os temos, como sabê-los? Vinícius de Moraes, que era homem, tinha as mesmas dúvidas. Não tê-los não é o problema, o problema é descartar essa experiência. Eu prefiro não deixar nada pendente para a próxima encarnação e estou vivendo tudo o que acho que vale a pena nesta vida mesmo, que é pequena mas tem bastante espaço. Mas acredito que uma mulher pode ser perfeitamente feliz sem ter filhos, assim como uma mãe padrão, dessas que têm seis crianças agarradas no avental, pode ser feliz sem nunca ter conhecido Paris, sem nunca ter dado um mergulho no mar, sem nunca ter lido um livro. É difícil, mas acontece.

Mamãe eu quero: verdade.

Você pode não querer ser uma, mas não conheço ninguém que não queira a sua.

Vidas passadas pra trás

Nada instiga tanto o ser humano quanto as três perguntas fundamentais: quem somos, de onde viemos e para onde vamos. A proximidade do ano 2000, o revival de Nostradamus, a novela *O Fim do Mundo* e até mesmo as previsões estapafúrdias de Mãe Dinah, tudo colabora para nos deixar menos céticos em relação ao futuro. Será que é possível saber com antecedência o que nos reserva o destino? Será que vivemos outras vidas antes desta? Não olhem para mim. Tenho tanta afinidade com Shirley McLaine quanto irmã Dulce com Sharon Stone.

Muita gente inteligente dedica anos e anos da sua preciosa vida tentando desvendar este mistério. Lêem livros (quando não os escrevem), estudam teses, convertem-se ao espiritismo, participam de grupos fechados, tudo na tentativa de comunicar-se com quem já passou desta para melhor e com isso obter um pouco de sossego, aceitando com mais resignação a própria morte. Essas pessoas devem pensar que, se há outras vidas, se seguirão vivendo em outra dimensão, se a morte não é absoluta, então nada há para se temer.

Já o meu raciocínio (simplista, admito) é: se

não há como ter certeza se existe mesmo reencarnação, então por que perder tempo com esse assunto? Se esta não for a única vida que tenho para usufruir, se houverem outras depois, do que adianta saber, se não lembrarei de nada mesmo?

Digamos que eu tenha sido uma andarilha: onde estão as fotos? Se eu fui um engolidor de fogo, é por isso que não gosto de cigarro? E se fui milionária, me digam, em que maldito banco fui deixar minha conta lá, parada? Posso ter sido uma deusa egípcia, um inseto gosmento, uma escrava, uma índia, uma atriz pornô, um bispo, um ladrão de galinhas, a única herdeira de um industrial francês. Onde foi parar toda essa experiência, toda essa história, tamanha emoção? Isso pode explicar aquela sensação de já termos vivido uma determinada cena, o famoso dejá-vu, mas, convenhamos, é muito pouco para quem viveu tanto.

E vidas futuras? Também não quero. Não vou poder levar minhas filhas, meus livros, meu passaporte, vou? Está certo que eu podia ter a sorte de, na próxima vez, reencarnar lá no norte. No Piauí, não. Mais ao norte, em Nova York, com o corpo da Cindy Crawford, a conta corrente da Cindy Crawford e o ex-marido dela como vizinho de porta. Mas quem garante que, em vez disto, eu não seja contemplada com uma casinha de lona na Etiópia e um cérebro de mosquito?

Acredito nessas pessoas que "saem" do próprio corpo e conseguem se enxergar estendidas numa cama de hospital, por exemplo. Pode ter sido um sonho, uma alucinação, um fenômeno extra-sensorial, mas, seja o que for, acredito. Também acredito em mapa astral, em disco voador e em alguma coisa parecida com Deus, desde que sem barba, bigode e cajado. Já a imortalidade da alma não está ao nosso alcance. Se existe, ninguém sabe, ninguém viu. Por via das dúvidas, continuo a usar cinto de segurança e olho para os dois lados antes de atravessar. Acredito piamente é na vida *antes* da morte, essa que me permite lembrar o que almocei ontem, quem são meus amigos e que possui registros inquestionáveis, como a certidão de nascimento, a carteira de identidade e foto 3x4 atualizada. A eternidade não me consola nem me tenta. A mim basta um banho quente, um pijama limpo e dormir acreditando que amanhã tem mais.

No divã com Woody Allen

Ele não tem o carisma de Marlon Brando, nem os olhos de Mel Gibson, nem a sensualidade de Mick Jagger. Se você passar por ele na rua, é capaz de não reconhecê-lo. Não dá muitas entrevistas. Não vai à entrega do Oscar. Não vive como um nababo. Foi protagonista de um escândalo, é verdade, mas dispensa esse tipo de publicidade. Ele é feio. Maníaco. Nervoso. Senhoras e senhores, meu ídolo, Woody Allen.

Engraçado, não estou ouvindo aplausos.

Pudera. Woody Allen está longe de ser uma estrela, uma unanimidade. Recusa todos os artifícios que produzem glamour. Raramente bota os pés em Los Angeles. É dos poucos diretores de cinema que não trabalha com efeitos especiais, mega-orçamentos ou femmes fatales. Não estoura bilheterias. Apesar de ser muito respeitado pela crítica, não raro é acusado de fazer sempre o mesmo filme, com o mesmo personagem: ele mesmo. Touché. Chegamos ao verve da questão.

Woody Allen faz sempre o mesmo filme, sim, e com o mesmo personagem. Só que esse personagem não é ele somente: sou eu, você e o vizinho esquisito do andar de cima. O ser humano, com sua fragilidade, suas dúvidas, sua ternura, sua hipocrisia, sua tara, sua neura, sua ingenuidade e suas trapaças é sempre o astro dos filmes de Woody Allen, seja esse ser humano interpretado por ele mesmo ou por Alan Alda, Dianne Keaton ou Mira Sorvino. Homens e mulheres, tanto faz: o elenco inteiro interpreta o espectador, ali escondido no escurinho do cinema.

Os filmes de Woody Allen iniciam do nada e terminam de repente, parecem muito com a vida. Não existe cenário, não há futurismo nem lançamento de modismos: todos comem e bebem o mesmo que nós, andam por ruas de verdade e moram em apartamentos com cozinha, janelas e porta-retratos. Dá até para sentir a calefação. Sexo, drogas e rock'n'roll? Tsk, tsk. Carência, vinho e jazz. Mesmo assim, os finais são sempre animadores, não importa quem fica com quem, ou se alguém fica sem ninguém. Todas as opções são aceitáveis. A felicidade é uma isca pendurada na altura dos olhos. Tentar alcançá-la é o que nos move.

Seus roteiros não manipulam os sentimentos da platéia. Não há a hora do medo, a hora do suspense, a hora do alívio. O filme desliza, escorrega, nos pega pela mão. Já interpretamos todas as cenas, sabemos como tudo vai acabar, somos co-autores de suas obras. Vivemos a era do rádio. Somos camaleões. Nos apaixonamos pela pessoa errada. Queremos que o galã pule da tela. Questionamos a existência, o casamento, o espermatozóide que morreu a caminho da consagração. Temos medo. Somos anárquicos, claustrofóbicos, infantis, geniais. Temos, todos, a mesma história para contar. Woody Allen só se encarrega dos diálogos.

A realidade, é claro, não nos basta. Assim como as crianças precisam do Aladim, da Branca de Neve e dos Power Rangers para habitar suas fantasias, nós, crianças grandes, precisamos do Robocop, do Cyrano de Bergerac, da Kim Basinger. Precisamos de um corpo de lata para encarnar nossa própria violência, um nariz grotesco para inspirar nossa poesia, um belo par de pernas a serviço do nosso erotismo. Precisamos de símbolos, e Hollywood nos serve com competência nessa catarse. Mas de vez em quando é bom lembrar que há sangue de verdade correndo em nossas veias, e para isso não é preciso vê-lo derramado na tela. Um pouco de romance, uma pitada de frustração, uma oferta caída do céu, sonhos desfeitos, um dia se ganha, outro se perde, não é mais ou menos assim com todo mundo? Não é preciso ter lido o roteiro para saber o final da história. Basta fazer como Woody Allen: aprender a se divertir com a repetição, com a banalidade, com o previsível. Ri melhor quem ri apesar de tudo.

Se você prestar atenção, vai reparar que não são apenas as locadoras de vídeo que reproduzem-se em cada esquina. Os brasileiros têm hoje à disposição muitas e ótimas lojas de decoração, coisa rara dez anos atrás. Casas especializadas em tecidos, luminárias, tapetes, objetos de design, paisagismo, móveis para escritório, enfim, vestir uma casa ou local de trabalho deixou de ser uma tarefa inglória. O consumidor está fazendo a festa: pinta a casa com cores vibrantes, testa novos materiais, amplia aposentos, abre nichos, rebaixa o teto e enfeita cada ambiente com o que há de melhor no mercado, deixando seu lar doce lar digno de ser exibido na Casa Cor. Já não era sem tempo. A casa da gente tem que ser nada menos do que linda, não importa se bate ou não com o gosto dos mestres da decoração. O que importa é ter um canto aconchegante, confortável, onde você e o homem da sua vida possam ficar protegidos da desordem reinante lá fora. Fecha o pano.

Entre as quatro paredes do ninho, porém, começa a discussão. Tirando os profissionais da área – arquitetos, decoradores e afins –, homens e mulheres têm interesses completamente antagônicos na hora de mobiliar a casa. Os homens querem funcionalidade. Espaço para caminhar. Uma cama king size. Quatro caixas de som bem potentes. Lugar para seus sapatos. Um absurdo completo.

Nós, mulheres, não treinamos uma infância inteira brincando de casinha para permitir que uma caixa de som horrorosa repouse em cima do persa e faça par com aquele jarro art-nouveau português que foi trazido no colo desde Sintra. Espaço para caminhar? Esses homens enlouqueceram. Nunca ouviram falar da Redenção, do Parcão, do Parque Marinha? Pois que peguem aqueles tênis enormes que ocupam meio guarda-roupa e façam exercício ao ar livre, bem longe do nosso aparador de marfim, das nossas cadeiras de ferro escovado e das nossas luminárias estrategicamente localizadas no meio da sala. Falando nisso, é hora de confessar o desejo secreto de toda mulher: homens que calcem 36. Um mocassim 43 é incompatível com qualquer closet, por mais bem planejado que seja.

Não acaba aí. Qualquer kitchenette tem hoje uma sacada com churrasqueira. Ótimo para colocar avencas e violetas. Só que os homens levaram a proposta a sério e fazem churrasco todo santo domingo, deixando o resto da casa parecendo Londres, imersa em bruma. O local para a televisão é outro constante motivo de divórcio. Eles a querem no quarto. Estéreo, digital e com trezentas polegadas. Quando você diz que não vai tirar a bergère do lugar por nada deste mundo, mesmo que apenas sua bolsa sente nela, ele vem com a sugestão que acaba com o casamento: e se colocássemos a tevê num suporte aéreo, que nem em motel? Fecha o pau.

Com tantos manuais de auto-ajuda resolvendo a vida de milhares de casais, se faz urgente o lançamento de um livro que auxilie as mulheres a fazer valer suas posições decorativas. Como explicar para um marido pão-duro que aquela tela de Tomie Ohtake é uma pechincha e que você vai trocar a sala de jantar inteira só para combinar com uma palmeira californiana em tamanho natural? Haja saliva para fazê-lo entender que seus livros (dele, lógico) não combinam com a poltrona Le Corbusier e que paredes cor-de-pêssego não merecem ouvir a transmissão de Grêmio x Palmeiras narrada pelo Silvio Luiz. Desligue o rádio, baby, e vamos escutar Ravel.

Para que tantos abajures, se já temos uma coleção de dicróicas? Para que tantos cinzeiros, se nem fumamos? Para que este porta-retrato com a foto do Brad Pitt? E para que esta escada em caracol se não moramos numa cobertura? Perguntas, perguntas. Homens não sabem abstrair.

Até que um dia ele se enche e aluga um flat com tudo o que sempre quis, ou seja, quase nada. É o céu nos primeiros dois meses. Depois ele começa a sentir um vazio, uma fome, uma falta de lençóis de linho. Bingo! Ele volta. E descobre que nada mudou, a não ser os armários da cozinha, os azulejos do banheiro e um tapete de Bali que nunca esteve ali.

Histórias de pais que perdem seus filhos não são casos inéditos na literatura. Para citar um exemplo bem recente, a chilena Isabel Allende fincou pé na lista dos mais vendidos com o extraordinário *Paula*, onde descreve a doença e a morte de sua filha de 28 anos, num relato comovente.

Diza e Régis Gonzaga não têm o dom de Isabel Allende. Aliás, nem escritores são. Mas estão colocando nas prateleiras das livrarias um livro que trata do mesmo assunto: a morte de um filho, no caso, a de Thiago Gonzaga, que aos 18 anos foi vítima de um acidente automobilístico em Porto Alegre. Diza e Régis não esperam, com isso, entrar na lista dos mais vendidos. A intenção é outra, mil vezes mais importante: a de conscientizar pais, educadores, políticos e a sociedade em geral de que um carro pode ser uma arma nas mãos de um adolescente e que a prevenção de acidentes merece tanta atenção quanto a prevenção contra as drogas e a Aids.

No livro, Diza, a mãe de Thiago, relata episódios da infância e da adolescência de seu filho. É uma maneira, suponho, de administrar a dor e de repartir uma vivência comum a todas as mães, que nunca esperam que uma tragédia vá bater-lhes à porta. Pois bateu na porta dos Gonzaga, bateu na porta de diversas outras famílias e vai bater em muitas outras ainda se não dermos um basta na condescendência geral.

Para deter a velocidade e a imprudência é preciso duas coisas: lei e educação. Os pais não podem colocar de castigo ou dar umas palmadas em jovens que correm demais, que bebem antes de dirigir ou que não usam o cinto de segurança. A punição tem que vir da legislação. Só quando os adolescentes virem um colega atrás das grades ou prestando serviços gratuitos à comunidade é que cairão na real e tirarão o pé do acelerador.

A outra parcela de vigilância cabe aos pais, que devem negar a chave do carro a um garoto ou garota sem habilitação. O papel de carrasco é horrível, mas alguém tem que desempenhá-lo. É mais difícil dizer não do que dizer sim, mas não se espera outra coisa de um adulto responsável. Seu filho tem 16 anos, é maravilhoso, estudioso e só quer um pouquinho de aventura? Mande-o para a Disney, para o Beto Carrero World, para os estúdios cinematográficos de Los Angeles, onde se pode fazer, entre outras coisas, uma viagem virtual a 300 quilômetros por hora. Só não deixe-o atrás de um volante de verdade. Por mais que você confie, lembre-se que ele é jovem e, como tal, acha que nada de ruim pode lhe acontecer.

Outra coisa: jovens temem ser chamados de careta. Se acaso a turma incentivar um pega ou uma cervejada no carro mesmo, enquanto se deslocam de um lugar para outro, ninguém com menos de 18 anos vai dizer: "Pára tudo que eu quero descer". É um momento da vida em que a gente precisa da aprovação dos amigos e, para não virar um deserdado da noite, acaba topando qualquer parada. É aí que mora o perigo. Alguém precisa acordar esta garotada e dizer que corajoso é aquele que é autêntico, que diz o que pensa, que vai contra a corrente se for preciso, e não aquele que embarca em qualquer onda, mesmo se borrando de medo. Quem vai ensinar isso para eles? Nós, os caretas.

O livro *Thiago Gonzaga, Histórias de uma Vida Urgente* não vai conseguir, sozinho, que os adolescentes (incluindo aí alguns marmanjos que não crescem nunca) parem de voar pelas avenidas da cidade como se fossem imortais, mas levanta a discussão, que é o que interessa. O pai de Thiago, em texto no início do livro, cobra dos senadores a aprovação do novo Código de Trânsito, exigindo penalidades mais pesadas aos infratores, e insiste na criação da disciplina Educação para o Trânsito e sua inserção nos currículos escolares. Régis Gonzaga é professor e sabe a influência que todo educador têm sobre seus alunos. E, como pai, está generosamente transmitindo sua cruel experiência para que nós não precisemos vivenciar, como ele e sua família, a única dor que não cessa.

As musas de Odair José

Do que uma mulher realmente precisa? De diamantes, responderia Mae West. De um Rolls Royce e um apartamento em Paris, responderia Carmem Mayrink Veiga. De um marido e de um filho, responderia Xuxa. De estar no lugar certo na hora certa, responderia Adriane Galisteu. E seguiríamos recebendo respostas charmosas até o final deste artigo, se continuássemos citando apenas celebridades. Mas faça essa mesma pergunta a uma advogada em tempo integral, a uma comerciante que precise viajar duas vezes por mês para o interior ou a uma mãe com um bebê recém-chegado da maternidade. Todas elas jogariam os diamantes pela janela em troca de uma boa empregada.

Procurar uma na França, no Canadá ou nos Estados Unidos é perda de tempo. São mais raras que o mico-leão dourado. As poucas pessoas que prestam serviços domésticos em países desenvolvidos cobram uma pequena fortuna mensal e costumam exigir referência dos patrões. Advogadas, socialites, mães de primeira viagem, não importa, todas as mulheres têm que se virar sem elas. E as vendas de fornos de microondas e lavadoras de louça vão muito bem, obrigada.

As famílias de classes média e alta no Brasil já começaram a aparelhar seus lares com eletrodomésticos que facilitam as tarefas do dia-a-dia, liberando as mulheres para trabalhar fora de casa. Mas como ainda não foram inventadas máquinas que arrumam camas e lavam banheiros, nem robôs que fiquem cuidando das crianças enquanto mamãe vai com papai ao cinema, as brasileiras continuam utilizando a mão-de-obra doméstica, que é farta e barata se comparada com outros países. No momento, tramita uma lei que assegura fundo de garantia e outros benefícios para a classe, e já começou a velha choradeira das patroas, ameaçando suas fiéis escudeiras com o desemprego.

Mulheres que trabalham fora sabem como é bom sentir segurança no emprego, confiantes de que, em caso de demissão, não se sairá com uma mão na frente e outra atrás. Não entendo como podem questionar esse mesmo direito a uma pessoa com quem convivem diariamente dentro da sua própria casa, muitas vezes criando laços afetivos. Já ouvi argumentos do tipo "é justamente esse laço afetivo que desobriga patrões e empregados a cumprir leis trabalhistas". Cuidado. Oferecer palavras amigas a uma cozinheira, ser sua madrinha de casamento ou permitir que ela saia mais cedo para ir ao dentista são atitudes civilizadas, mas que não substituem o décimo terceiro ou as férias remuneradas.

Eu, confesso, sou meio condescendente com quem trabalha comigo. Não sou de fazer grandes exigências, desde que tudo seja feito dentro do combinado. Mas é claro que empregadas também têm deveres. Já que vão virar microempresas, têm que estar aptas a cumprir horários, serem competentes e profissionais. Amigas, amigas, negócios à parte. Nada de aturar suflês bolorentos, pó embaixo do tapete e intimidade com o patrão, ainda que muitas donas-de-casa prefiram botar o marido na rua a perder sua Maria.

É preciso reconhecer: trabalho doméstico é uma chatice. Não mata, não tira pedaço, qualquer um faz, mas ter alguém para fazer por você é um luxo que merece ser valorizado. Eu não gosto de botar a mão na carteira, mas certas coisas não são despesa, são investimento. Podemos, sim, viver sem elas, mas como conseguiremos trabalhar, cuidar dos filhos, fazer o almoço, limpar a casa, fazer as compras e ainda por cima estarmos lindas e cheirosas ao anoitecer? Eu me rendo.

Fala-se muito que o casamento está em desuso. Tá nada. Podem as pessoas não estarem muito preocupadas em legalizar a união em cartório, mas todos continuam querendo encontrar sua cara-metade e morar embaixo do mesmo teto, bem agarradinhos. Por que isso estaria fora de moda? Casamento é ótimo, desde que não haja ciúmes, grude e gente de fora dando palpite. Em desuso estão aqueles casais que fazem a linha "só vou se você for", do contrário, casamento é diversão, companheirismo, intimidade, colo. Casem, crianças. Casem uma, duas, quantas vezes for necessário. Só não inventem de noivar.

Noivado, sim, não entra na minha cabeça. Em priscas eras, noivado significava promessa de casamento. O namorado podia passar do portão para o sofá da sala. O relacionamento ganhava um novo status, a mão direita, uma aliança e abria-se um crediário para a compra dos móveis. A data era marcada para quando o rapaz se formasse, dali a três anos. Enquanto o grande dia não chegava, o pretendente começava a estagiar com o sogro e o casal de pombinhos saía aos domingos para comer uma pizza enquanto escolhia o nome dos sete filhos que viriam a ter. Adrenalina pura.

Para meu espanto, continua-se noivando adoidado, tudo em nome da tradição e dos bons costumes. E, creio eu, para materializar as grades que o namoro, por ser uma relação mais descompromissada, não tem. Um namoro pode acabar em casamento, pode acabar em amizade, pode acabar em pancadaria, mas pode acabar. Noivado, em princípio, não pode.

Noivado é um pré-casamento. Tem festa, padrinhos, presentes e anúncio no jornal. Não se sabe se eles noivaram porque estão se gostando mais ou vão começar a se gostar mais porque noivaram, mas acredito numa tese menos romântica: os noivados não passam de uma longa despedida de solteiro, onde tudo conduz à gandaia.

"Sou noiva." Diga essas palavras mágicas a um homem que goste de desafios e ele tentará desesperadamente levá-la a um motel barato. Noivas são tentadoras. Amigas íntimas do pecado. As musas de Nelson Rodrigues. Um convite à cantada, já que não existe melhor termômetro para um homem medir seu poder de sedução. Fazer uma mulher trocar de namorado é fácil, mas fazê-la desistir de um casamento, uau!

"Sou noivo." Diga essas palavras mágicas e a mulherada fugirá como o diabo da cruz. Nosso desafio é outro: pegar um homem desprevenido e conduzi-lo ao altar antes que ele caia em si. Encontrar um que esteja oferecendo o pescoço à forca por livre e espontânea vontade não faz parte dos nossos fetiches. É um homem rendido.

Noivado é fraude. Tentativa de ganhar tempo. Ok, vou dar uma chance ao cupido: também pode ser a prova de um sentimento arrebatador, único, ciente da própria eternidade. Só que não serve para nada nem garante coisa nenhuma. Tem gente que namora duas semanas, casa e comemora bodas de ouro. Outras ficam noivas dez anos e casadas apenas dez dias. Noivado é rito de passagem. Uma maria-fumaça. A paixão é que é o verdadeiro trem-bala.

O BEIJO DE MARADONA

O soco no ar inventado por Pelé para comemorar um gol já não empolga a massa. Agora os artilheiros têm que rebolar, literalmente. Sambam, fazem trenzinho, nana-nenê, dança da garrafa, tudo em nome da criatividade. Mas não tem pra ninguém. Os craques argentinos Cannigia e Maradona mostraram ao mundo que o beijo ainda é a maior demonstração de entusiasmo que existe. Ninguém viu o gol que motivou tamanha euforia, mas o recado foi dado: não se fazem mais homens como antigamente. Aleluia!

Calma, isso aqui não é um libelo gay. Mas a foto da dupla se beijando na boca, naturalmente, sem prejuízo à virilidade de ambos, serviu para chamar a atenção sobre um hábito trivial na Argentina e que os brasileiros, aos poucos, começam a adotar: o beijo entre homens. Beijo no rosto, bem entendido. Para horror dos machistas, a distância mantida pelo aperto de mão está encurtando, e amigos já se permitem um carinho além do tapinha nas costas.

Jô Soares recebe seus convidados mais chegados com um beijo, tanto faz se usam saia ou bigode. O jogador Bebeto também tem o costume de beijar a face do companheiro de time que o está substituindo em campo. Pugilistas, depois de se esbofetearem até sangrar, beijam-se feito normalistas. Temos até um beijoqueiro oficial que volta e meia dá o bote em celebridades, incluindo aí presidentes da República. Numa sociedade em que muito pai e filho mal se tocam em nome do ultrapassado "isso é coisa de bicha", o fim do monopólio feminino do beijo merece ser saudado.

Beijo é ótimo. Desencadeia emoções. Está presente nos nossos melhores momentos. O beijo no filho recém-nascido, logo após o parto. O beijo de um pai que entrega a filha no altar. O beijo vitorioso em troféus e medalhas. E, claro, o beijo romântico, apaixonado, que nos deixa entregues à própria sorte. Já ouvi diversas pessoas dizerem que o beijo é a parte mais importante do ato sexual. Endosso.

Tem beijo dispensável, o mundo não é perfeito. Beijo de políticos em criancinhas, por exemplo. Pior: beijo do Michael Jackson em criancinhas. Beijo na testa sempre decepciona. Beijo na mão nos deixa sem graça com a reverência. E, argh, os insuportáveis três beijinhos pra casar. Quando alguém me ameaça com o trio, eu retribuo todos eles, para não deixar a bochecha alheia planando no ar. Mas fico torcendo pra pessoa ficar solteirona, de má que eu sou.

Enfim, beijo é bom, não transmite Aids e pode ser praticado a qualquer hora, em qualquer lugar, nem é preciso tirar a roupa. Eu sou fã, portanto, não é de estranhar que tenha achado engraçadíssima a cena protagonizada pelos portenhos. Óbvio que a moda não pega. Beijo na boca de amigos, ou é performance (Maradona tem muito a aprender com Caetano) ou é surto de riponga. Até hoje tem gente que foi a Woodstock, perdeu o caminho de volta e segue dando bitoquinhas nos amigos e amigas, no melhor estilo paz e amor. Portanto, não espere que Tande e Marcelo Negrão se atraquem no meio da quadra ou que o seu sogro e o sócio dele deixem marcas de batom no colarinho um do outro. Os homens seguem sendo o que sempre foram, apenas estão se permitindo ser ternos e carinhosos não só com quem repartem a cama, mas também com quem repartem a mesa de pôquer. Nada a temer. Na dúvida, pergunte ao seu marido o que ele acha do Maradona. Se ele resmungar que é veado, bingo: você tem um macho em casa.

Homens que têm tudo

Falta quase nada para o Dia dos Pais e os shoppings estão lotados de filhas, esposas e noras em busca de algo que não se sabe direito o que é e muito menos onde encontrar: um presente para o homem que tem tudo.

Quem são os homens que têm tudo? Os muito ricos? Os que viajam com freqüência? Os que já passaram dos 40? Sim, todos eles, e também os remediados, os que nunca botaram o nariz para fora do bairro e os que têm pouca idade. Todos os homens do planeta, aparentemente, têm tudo. É a única explicação para o tormento que é encontrar um presente que seja original, útil e que eles gostem de verdade. Presentear os homens é uma das tarefas mais difíceis na vida de uma mulher.

Meia e gravata: esta dupla está condenada. Por mais que ele anseie pela tabelinha, ela só deve ser acionada em caso de desespero. Virou símbolo de falta de imaginação.

Camisa pólo. Ele tem de todas as cores. Usa para correr no parque, ir ao cinema, trabalhar, cortar grama, almoçar fora, comprar jornal. Quando você surge com o pacote na mão, ele faz aquela falsa cara de surpresa e, depois de colocá-la em frente ao peito e constatar que você errou o tamanho de novo, ele dobra e pede pra você guardar no lugar de sempre: lá onde estão as outras trezentas.

Pijama. Hoje em dia tem uns que são umas gracinhas e podem deixá-lo bem sexy, caso ele colabore. Mas ao abrir o presente, as luzes se apagam, a casa ganha um ar de jubileu e o coitado, instantaneamente, fica grisalho, barrigudo e cansado da vida. Ano que vem, chinelos. E um cachorro.

Bebida. Ele já foi um sujeito normal: bebia de vez em quando com os amigos. Passados alguns anos, começou a beber mais, e hoje é um porre atrás do outro. O bar da casa está repleto de conhaques de procedência duvidosa, licores feitos de bala Soft e vinhos que amarelaram com o tempo. Você vai continuar dando bebida para o coitado?

Seria tão mais fácil se os homens gostassem de colares, hidratantes, lencinhos tigrados, guardanapinhos de papel, porta-retratos, tapetinhos de cozinha, trilha sonora de novelas, maquiagem, meia-calça. Mas não. É só meia dúzia de opções, tudo preto ou marrom, de preferência de couro e para usar no escritório. Merecem quilos de pesos para papel, os chatos.

É claro que tem saída. Você pode dar um livro, por exemplo. Fininho, com letras bem grandes e dividido em vários capítulos, para que ele leia num momento de folga, ou seja, never. Você pode dar uma cesta com quitutes variados: patezinhos, salgadinhos, azeitoninhas, cajuzinhos, tudo aquilo que ele não consegue segurar com os dedos. Você pode dar uma gravura, um par de tênis, um disco de música clássica, copos de uísque, tacos de golfe, jogos para computador. Uau, que homem sofisticado. Enfim, você pode dar o que quiser que ele, com toda a certeza, não vai gostar. Homens só gostam de brinquedos. Brinquedões enormes, com 4 portas, 16 válvulas, motor 2.0, air bag e direção hidráulica. O resto eles têm.

Aula de literatura

Todo escritor que tenha sido entrevistado meia dúzia de vezes já passou pela indefectível pergunta: os professores devem obrigar seus alunos a lerem determinados livros? Já pensei mil vezes nesta questão. Quando estudante, eu era rata de biblioteca, mas confesso que me aborrecia quando o tema de casa era ler um livro que não estava nos meus planos. Tinha de tudo nesta recusa: um pouco de rebeldia, um pouco de preguiça e muito de ignorância. Afinal, se lemos livros de álgebra, biologia e história natural sem achar que o professor está sendo autoritário, porque um Guimarães Rosa ou um Machado de Assis provocam tanta polêmica?

Porque o livro de ficção está associado à arte, e arte é escolha. Não recebemos aulas sobre Fellini ou Hitchcock na escola. Não aprendemos nada sobre Beethoven ou Beatles no colégio. A obra de Matisse e Renoir não cai nas provas. Por que só a literatura está no currículo?

Talvez porque a literatura continue sendo fundamental para a formação do indivíduo. Música, cinema, dança, pintura e outros tipos de manifestações artísticas acabam sendo, injustamente, designadas de "conhecimento geral". Já a literatura está além do prazer. Ela nos ensina, antes de mais nada, a escrever, e isso já bastaria para colocar qualquer livro como complemento indispensável da cartilha. Além disso, os livros ensinam a sonhar, a olhar para dentro, a reconhecer sentimentos, a assimilar culturas. Ensinam geografia, história, português. Ajudam a formar o caráter e preparam para a vida.

Não é na escola que se aprende a ter amor pelos livros. É em casa, convivendo com eles desde criança, seguindo o exemplo de nossos pais. Mas a escola pode e deve incentivar o hábito, não porque cai no vestibular, mas porque a literatura é a base do ensino. É lendo livros de Direito Penal que serão formados os futuros criminalistas, é lendo livros de Odontologia que se aperfeiçoarão os dentistas de amanhã, é pelos livros didáticos que começam a se formar jornalistas, professores, cientistas, arquitetos, pedagogos e demais profissionais deste país.

Muito bem, mas por que José de Alencar e não Maria Mariana? É claro que o adolescente tem o direito de fazer suas próprias escolhas, e há boa literatura para todas as idades. Nada contra os novos autores, tão jovens quanto seus leitores, que falam a mesma língua e tratam das mesmas angústias. Mas isso não significa que um Josué Guimarães ou um Erico Verissimo também não possam encantar os menores de 18 anos. O importante é abrir o leque de opções, apresentar aos estudantes todo tipo de literatura, de preferência a de melhor qualidade, porque só conhecendo diversos autores e estilos é que ele poderá, mais tarde, selecionar os seus preferidos.

Quando eu freqüentava as aulas de matemática, já intuía que os logaritmos e as equações fracionárias não me fariam falta no futuro, mas o professor não podia adivinhar qual o caminho que eu iria seguir, se o das ciências humanas ou exatas, e por isso tinha a obrigação de me ensinar aquilo que poderia vir a ser útil em minha vida, deixando para mim a responsabilidade de abandonar estas lições em algum canto do cérebro, caso não precisasse mais delas. O que os professores de literatura querem, quando exigem que seus alunos leiam os clássicos da literatura brasileira e universal, é estimular a discussão de idéias e ajudá-los a compreender melhor o mundo em que vivem. Que cumpra-se o currículo. Se alguém achar chato, terá a vida pela frente para ler apenas os neurolingüistas, peregrinos, bruxas e outras maravilhas da atualidade.

Toda vez que inicia o horário eleitoral gratuito no rádio e na televisão é aquela chiadeira. Ninguém suporta ver e ouvir o blá-blá-blá que caracteriza os programas. Muda-se os rostos, os nomes, mas a performance é a mesma: salvadores da pátria saindo em carreata, beijando criancinhas, abraçando populares na rua e garantindo que, caso receba o seu, o meu, o nosso voto, tudo será diferente.

Não que os programas sejam ruins. Os deste ano têm sido até agradáveis: bons jingles, qualidade de produção e nenhuma baixaria, pelo menos entre os candidatos mais cotados. Mas não há mobilização. Não há uma proposta surpreendente. Quase nenhum projeto objetivo. Os candidatos manifestam suas intenções, aliás, excelentes, mas nada que um concorrente também não possa prometer. Na hora de escolher em quem votar, acabamos por nos apegar mais ao passado do candidato ou do partido que ele representa do que em propostas concretas para o futuro.

Propaganda eleitoral sempre foi um grande ganha-pão do mercado publicitário. Nada contra, se o político estiver disposto a ser anunciado como um produto. A função da publicidade, de modo geral, é essa:

informar a existência de uma nova geladeira ou de um modelo novo de carro e dizer que tipo de benefícios, sejam eles emocionais ou materiais, esse produto (ou serviço) pode oferecer ao consumidor. Pode-se usar diversos recursos para impactar a audiência: efeitos especiais, humor, depoimentos de celebridades, tudo amparado por um bom planejamento e uma idéia pertinente e original. Ou pode-se usar fórmulas consagradas e repetidas à exaustão, como os comerciais feitos para vender sabonetes e shampoos. Uma bela garota numa banheira cheia de espuma, close em sua pele acetinada, uma música sensual e está dado o recado. Serve para qualquer marca. Para anunciar políticos tem sido mais ou menos assim.

Os profissionais da propaganda não são mágicos, você sabe. Se tiverem que anunciar um fósforo que não acende, um refrigerante com gosto de amoníaco ou um apartamento com vista para o presídio central, não há criatividade que salve o cliente da falência. Mas se o político com quem estão comprometidos tem algo mais a dizer além de "Vamos construir juntos uma cidade melhor", então que permitam o candidato deixar de lado o mise-en-scène e ir direto ao ponto, divulgando objetivamente sua plataforma, que o interesse será todo nosso em escutar.

Se eu fosse acometida por um acesso de loucura e resolvesse me candidatar a um cargo tão importante como o de prefeita de uma capital brasileira, antes da arrancada eu distribuiria uma revista com a programação inteira do meu espaço eleitoral, assim como fazem as revistas de tevê a cabo distribuídas aos assinantes no começo do mês, para que eles possam acompanhar dia por dia. Exemplo: dia 20, o assunto é saúde pública. Dia 21, saneamento básico. Dia 22, trânsito. Dia 23, planejamento urbano. Usaria a tevê para transmitir meu plano de governo, tema por tema, dando uma estimativa de custo de cada projeto e dizendo de onde sairia o dinheiro. Delírio, utopia, ingenuidade? Que seja, mas é assim que eu preferia que fosse. Programa eleitoral deveria parecer mais com um programa jornalístico do que com um videoclipe. Não seria tão atraente, mas seria mais útil. Como não pretendo me candidatar nem para síndica do meu prédio, fica a sugestão para quem quiser utilizá-la nas próximas eleições. Não garanto que o candidato vá se eleger, mas pelo menos ninguém vai confundi-lo com um sabonete qualquer.

Paulo Francis, que não é gênio mas é muito inteligente, acredita que se Millôr Fernandes escrevesse num idioma que não fosse de periferia (sic), seria um humorista reconhecido no mundo inteiro. Não tenho dúvida. Basta folhear a bíblia *Millôr Definitivo* para sentir que ali há mais do que achados, há genialidade saltando das páginas.

Mas Millôr não é o único que se enquadra no gênero. Cada vez que leio Luis Fernando Verissimo tenho a mesma impressão. Tivesse ele a oportunidade de publicar suas crônicas e tiras no The New York Times, no Le Monde ou no Corriere della Sera, seria recebido com tapete vermelho e fogos de artifício onde quer que pousasse.

Não que Verissimo ou Millôr almejem o reconhecimento internacional. Até onde sei, estão muito satisfeitos com o respeito e a admiração que conquistaram no seu país, o resto é abstração. O que eu me pergunto é: tendo o Brasil alguns talentos deste nível para consumo interno, quantos outros talentos não haverão espalhados pelo mundo, prestigiados em sua terra natal mas ilustres desconhecidos para o resto da humanidade?

No interior da Hungria, em alguma cidadezinha perto de Budapeste, talvez tenha vivido um poeta tão encantador quanto Mario Quintana. Um poeta profundamente comprometido com sua cidade, que evocasse situações mágicas, que vivesse um cotidiano lírico, que declamasse versos com voz frágil. Em húngaro.

Na Espanha, há de ter uma atriz como Fernanda Montenegro, apaixonada por teatro, que não seja necessariamente bela, nem loira, nem sexy, mas que atraia todos os olhares da platéia e deixe suspensa a respiração dos que assistem, hipnotizados, a qualquer uma de suas interpretações. Em catalão.

Na Bulgária, deve haver um Chico Buarque. Em Pequim, deve haver um Jô Soares. Na Grécia, deve haver uma Marília Pêra. Mas atravessar fronteiras falando búlgaro, chinês ou grego é tarefa para Marco Polo, que não sei como se fazia entender.

Os gênios brasileiros conhecidos além-mar nunca foram de muitas palavras. Pelé e Ayrton Senna, para citar dois ícones, poderiam ser mudos e teriam encantado o planeta do mesmo jeito. As letras de Vinicius de Moraes, Tom Jobim e João Gilberto não são as responsáveis por fazer do Brasil referência musical no mundo inteiro, e sim a bossa, o samba, o balanço do mar que eles tiravam de ouvido. Falando português, não se atravessa o portão de casa. Só se é internacional em inglês.

Dá trabalho, pergunte para Sônia Braga. É preciso perder o sotaque, aceitar papéis baratos em

Hollywood, mofar em prateleiras de world music. Escritores, poucos, conseguem abrir caminho com traduções, principalmente se for o caminho de Santiago de Compostela, mas vá tentar traduzir "eles passarão, eu passarinho".

Pois que cada povo, então, prestigie o que é seu. É uma pena não podermos conhecer os Millôres e Verissimos que escrevem na Holanda, na Turquia, na Coréia, mas é profundamente reconfortante saber que temos nossos próprios tesouros nacionais. Periféricos, mas geniais.

A PRIMEIRA NOITE DE UMA MULHER

A primeira relação de um rapaz costumava dar-se em casas de tolerância, também conhecidas como prostíbulos, inferninhos, casas de massagem, antros da perdição.

Se a iniciação não se dava com prostitutas, se dava com a empregada da casa, numa relação meio feudal, onde o patrãozinho tomava certas liberdades enquanto que à Maria restava o direito de ficar calada.

Se não era com a empregada, era com uma prima mais velha ou com uma amiga da irmã recém-chegada da Suécia. Até hoje, a primeira vez de um garoto se dá mais ou menos assim, com quem se habilitar e rapidinho, porque há pressa em entrar para o mundo dos homens. O pai pressiona, os amigos pressionam, não há tempo a perder com flores e bombons.

Antes de a mulher conquistar os mesmos direitos, ninguém questionava o modo como se dava a iniciação sexual de um adolescente. Garotas, era na lua-de-mel. Rapazes, quanto mais cedo, melhor. Mas esses garotos que tiveram tanta pressa em se desfazer da virgindade hoje são pais de meninas que – surpresa! – também não estão querendo esperar pelo grande amor para entrar na vida adulta. Afinal, as meninas também devem iniciar-se sexualmente movidas pela curiosidade, pela indução das amigas, para terem uma história para contar?

Curto e grosso: não. Muitos hábitos que pertenciam apenas ao mundo masculino foram bem-vindos entre as mulheres, como o direito a voto, a entrada no mercado de trabalho, o direito de sair à noite com as amigas para tomar um chope e de ter vida sexual antes de subir o altar. Em troca, endurecemos, pero perder la ternura, *jamás*. A primeira noite de uma mulher pode nem ser de noite. Pode ser à tarde, ou pela manhã, mas será um desperdício se não houver uma razão mais forte do que a simples vontade de ver qual é.

Caretice minha, pode ser. Às vezes cansa ser moderna o tempo todo. Intimidade, por exemplo, é uma coisa que não muda através de gerações, não entra nem sai de moda, não é para consumo de massa. Por mais madura que uma adolescente seja, pouco vai adiantar ter viajado à Disney sozinha ou colecionar todos os números da Capricho quando, pela primeira vez, tirar a roupa na frente de um homem. Não é tarefa fácil nem para balzaquianas calejadas, o que dirá para uma garota cheia de fantasias na cabeça. É um momento único, que se repetirá milhares de vezes, mas nunca mais dessa forma inédita, com direito a tremor de pernas, espanto e excitação. Por ser uma estréia, a mais aguardada delas, merece ser compartilhada com alguém que sinta pela menina muito mais do que desejo, alguém que tenha capacidade de receber não só o seu corpo, mas também sua inibição, seus suspiros, sua ansiedade. Alguém que saiba que existem coisas mais importantes na vida do que participar de um pega e ouvir Raimundos. Alguém que veja o sexo como conseqüência de uma relação bonita, estável, apaixonada, e não como um fogo a ser apagado dentro do carro mesmo, de qualquer jeito, seja com quem for.

Romantismo para as mulheres, sacanagem para os homens, então ainda é assim? Não, crianças. Romantismo para homens e mulheres, sacanagem para homens e mulheres, tudo à sua hora. Também acho que não deve ser legal para os garotos transar por transar, só para satisfazer o pai e ter uma história para contar aos amigos, história essa muito mais inventada do que vivida. Ideal seria que sexo e emoção andassem de mãos dadas, pelo menos no início da puberdade, quando tudo é descoberta. Depois cada um escolhe o seu jeito de ser e viver, de acordo com o que aprendeu, sofreu, vivenciou. Mas, ao dar os primeiros passos, é recomendável proteger-se das decepções, não deixar o encanto quebrar tão rápido. Aos 16, aos 20, aos 25 anos, que seja linda a primeira vez, com alguém que saiba ao menos o seu nome completo. Agora, depois dos 25, seguindo invicta, esqueça tudo o que foi dito aqui. O cara diz oi, você diz topo. Você é romântica, mas não é louca.

Quais são as chances de um fotógrafo seguir cada passo do seu marido, até conseguir clicá-lo em cenas calientes com uma stripper na beira de uma piscina? Se você não o tiver contratado, nenhuma. Fotógrafos são pessoas ocupadas, não ficam por aí perseguindo um joão-ninguém, com todo o respeito que seu marido merece. Portanto, amiga, fique fria. Você não vai passar pelo que a princesa Stephanie de Mônaco está passando.

Durante um tempo a princesa viveu numa boa com seu ex-guarda-costas e os dois filhos do casal, sem deixar o mundo real atrapalhar seu conto de fadas. Até que um maldito fotógrafo pôs tudo a perder. Estampou nas revistas do mundo inteiro as fotos de Daniel Ducruet engalfinhado com uma sirigaita de fio dental e não lhe deixou outra alternativa a não ser expulsar o príncipe do castelo.

Não que Ducruet seja um santo. Mesmo que tenha sido vítima de uma armação – a stripper conseguiu promover-se bastante com o escândalo –, ele foi, no mínimo, descuidado. O que eu me pergunto é: seja ele um cafajeste ou não, será que Stephanie queria mesmo o divórcio ou agiu pressionada pela opinião pública? Se não tivesse havido testemunhas oculares, é bem provável que Stephanie tivesse puxado o marido para um canto, exigido explicações, feito algumas ameaças e, depois de ouvir juras de amor eterno e dezenas de *isso-nunca-mais-vai-acontecer*, perdoasse o safado. Papai Rainier não ficaria sabendo, nem eu, nem você. Seria mais uma crise conjugal, como acontece com os simples mortais. Mas por causa de um fotógrafo que estava no local certo na hora errada, Stephanie entrou para o clube das descasadas.

Admitamos: infidelidades casuais não justificam a separação de duas pessoas que se amam. Geram mágoa, discussões, podem fragilizar a relação, mas para dissolvê-la é preciso que sejam freqüentes e com a mesma fulana. Isso não é um sinal verde, rapazes. Vale tanto para vocês quanto para nós.

Não é impossível um casal manter-se fiel durante 50 anos, monogâmicos até em pensamento. É possível e é bonito, mas só Deus sabe como é difícil. O mais provável é que um belo dia, numa dessas crises dos 7 anos, um dos dois, ou ambos, caiam em tentação. Não é um exemplo de comportamento, mas também não é o fim do mundo. Dizem que revitaliza relações mornas. Mas para isso há uma condição: que a pulada de cerca seja feita sem testemunhas, sem fotógrafos, sem telefonemas anônimos, sem que o cônjuge sequer desconfie de onde você está. Ser fiel é ser discreto. Não pode contar nem para o melhor amigo, que outro amigo ele tem, como nos ensinou Mario Quintana.

É por isso que milhares de homens e mulheres fingem não saber das escapadas do amorzão, e rezam para que também ninguém descubra: se os outros souberem, vão exigir providências, quando na verdade tudo o que se quer é ficar em casa curtindo a dor-de-cotovelo em paz. A modelo Eli-zabeth Hurley resistiu heroicamente quando seu noivo, o ator Hugh Grant, foi flagrado dentro de um carro com Divine Brown. Elizabeth não é princesa, ninguém espera dela reações protocolares. Sendo assim, não permitiu que uma zinha qualquer destruísse seu romance. Já Stephanie não pôde se trancar no quarto e deixar a poeira baixar. Não pôde ir para a televisão dizer: "Olha, o Daniel pisou na bola mas ele é boa gente, bom pai, que culpa tenho eu de gostar desse galinha?". Stephanie tem súditos que a consideram um exemplo, e por isso deve ser elegante e forte diante de qualquer situação. Com sua vida íntima exposta nas capas dos jornais, Stephanie não deixou o coração falar mais alto: simplesmente fez o que se esperava dela. O que me faz pensar que ser plebéia tem lá suas compensações.

Se alguém me perguntasse em que cidade do Brasil eu gostaria de estar agora, responderia São Paulo, e não é pelo Free Jazz. A terra da garoa está me tentando é com a 23ª Bienal Internacional de Artes Plásticas, que acontece no Parque do Ibirapuera. Estão lá reunidas obras-primas de Klee, Munch, Goya e Andy Warhol, além de 48 trabalhos da grande vedete da mostra, Pablo Picasso, por quem arrasto um trem.

Eventos como a Bienal são estimulantes por reunir um grande número de artistas e tendências num mesmo espaço, fazendo com que o visitante tenha contato com a arte moderna, contemporânea e também com a vanguarda do momento. Goste-se ou não do que se vê, este tipo de megaexposição funciona como uma iniciação para quem nunca pisou num museu e como um paliativo para quem não pode ir a Nova York, Paris e Barcelona a cada quinze dias.

Brasileira típica, só fui descobrir que museu não era coisa de velho quando comecei a viajar pelo mundo, coisa que faço com menos freqüência do que gostaria. Antes do primeiro vôo internacional, achava que museu nenhum era páreo para um Hard Rock Cafe. Imaginava um lugar sombrio, poeirento, onde tudo lá dentro tivesse no mínimo 300 anos de idade, a começar pelo público pagante. Mal sabia eu que do outro lado do oceano turmas de jardim de infância faziam fila na porta da Fundação Miró, do Museu D'Orsay, do Metropolitan. Ninguém nasce sabendo.

Hoje eu sei. Museus e crianças nasceram uns para os outros. É a melhor sala de aula que existe. Um espaço lúdico, cheio de cores, formas, histórias. Meus professores nunca me levaram, não sei se por falta de hábito ou de opções locais que valessem a pena, mas não faz mal. Agora vou com as próprias pernas.

Adoro o silêncio dos museus. A iluminação. A amplitude. Adoro os prédios dos museus: verdadeiras obras de arte expostas nas calçadas. Curto as lojinhas instaladas perto da porta da entrada, que vendem livros, reproduções, postais, camisetas. Gosto do astral das cafeterias, ainda que a comida, na maioria das vezes, não passe de uma natureza-morta. Gosto das pessoas que freqüentam museus, uma tribo eclética, quase todos estrangeiros, fazendo do lugar uma espécie de embaixada. Já ia me esquecendo: o que fica pendurado nas paredes me agrada bastante também, principalmente quando é um Van Gogh.

Estou longe de ser uma entendida no assunto. Longe quanto? Como daqui à lua. Mas a ignorância teórica não me priva de ficar comovida. Telas que não valem o salário do vigia podem me arrepiar, assim como uma obra avaliada em milhões pode não me dizer grande coisa. Não gosto de arte abstrata. O sorriso da Mona Lisa não me instiga. Já os impressionistas me deslumbram. As esculturas de Salvador Dalí me levam à loucura. Admiro a pintura hiper-realista, prima-irmã da fotografia. E adoraria ter em casa um ciclista do Iberê. Viram só? Minhas impressões são tão profundas quanto as de qualquer criança.

Com cinco anos de idade, nem um geniozinho encararia um Marcel Proust, mas experimente deixá-lo frente a frente com um Kandinsky, com um Monet, com uma Tarsila do Amaral. Não há como ser indiferente. As crianças aprendem a desenhar antes de escrever, é pelo traço que representam suas emoções. A linguagem visual interpreta seus sonhos, suas fantasias, suas inseguranças. Um museu é um gigantesco livro de gravuras, mágico, inquietante, que não exige alfabetização. Tudo fica exposto, todos podem olhar, só não podem tocar. Assim como a Demi Moore. Com a vantagem de que, num museu, nada é impróprio para menores.

Casamento, Lado A e Lado B

Casamento é um assunto que sempre seduz, por dois motivos muito simples: porque casamento é ótimo e porque casamento é péssimo, e são justamente esses dois lados da moeda que atraem tanto as pessoas.

Casamento é ótimo porque nos sentimos amados, seguros, porque ganhamos status social, porque temos sexo à hora que bem entendermos (em tese), porque temos filhos, porque temos companhia para viajar, porque não precisamos fingir ser o que não somos, porque na hora de ir ao cinema um estaciona o carro enquanto o outro vai para a fila da bilheteria e, principalmente, porque ninguém consegue devorar uma pizza sozinho. Casamento é matemática: podemos dividir, somar, multiplicar e subtrair. É aí, na subtração, que o casamento pode ser uma chatice.

Casamento é chato porque você vai passar o resto da vida transando com a mesma pessoa (em tese), porque o fantasma da rotina paira sobre nossas cabeças, porque passamos a ter mais responsabilidades e isso impede de jogarmos tudo para o alto e ir estudar teatro em Nova York, porque a solidão, afinal de contas, até que não é má companhia e as pizzarias, quem diria, já entregam pizza brotinho.

Ainda assim, com seu lado bom e seu lado ruim, acho que a geração que está casando agora tem mais chances de ser feliz do que tiveram os casais que estão comemorando bodas de ouro. Os casamentos atuais estão deixando, aos poucos, de ser um contrato formal e estão se transformando em ritos de passagem mais espontâneos e emocionais. Hoje se casa mais por amor do que antigamente, e o número crescente de divórcios não me desmente, ao contrário, reforça a minha crença, por mais contraditório que isso possa parecer. Antes as pessoas casavam porque era uma tradição inquestionável, e não raro os próprios pais escolhiam os noivos para seus filhos: o coração não era convocado a depor. Assim sendo, todo casamento dava certo dentro de um molde errado, e ninguém se separava. Arranjava-se um amante e seguia-se em frente. Hoje as separações aumentaram porque ninguém mais suporta a idéia de não ser feliz. Porque ninguém quer saber de viver de mentirinha. Porque tempo passou a ser artigo de luxo e não pode ser desperdiçado. Se o casamento foi bom durante cinco, dez anos, e agora não é mais, boa-noite, amor. A vida está chamando lá fora. O casamento não está em desuso. O que está em desuso é a hipocrisia.

O fato da mulher entrar no mercado de trabalho e ganhar seu próprio dinheiro também ajudou os novos casais: tirou do marido o papel de pai e patrão e o transformou no que ele é de fato, um homem para se compartilhar a vida, não alguém a quem devemos nossa sobrevivência e, por causa disso, obediência. A atriz Lizandra Souto, que uma época levantou a bandeira da virgindade, casou e virou capa de revista por conta do seu mais novo personagem: a Amélia dos anos 90. Abandonou a carreira de atriz para brincar de casinha. É um direito que lhe assiste, mas não acho legal quando divulgam essa decisão como uma volta aos velhos bons tempos. Ninguém disse que seria fácil trabalhar fora, cuidar da casa e dos filhos, mas é o preço a pagar pela nossa independência. Casamento não é emprego.

O que é casamento, então? Uma experiência que pode ser doce e cruel, eterna e passageira, bem-humorada e maquiavélica, tudo ao mesmo tempo. Como o mar, está sujeito a calmarias e tempestades. Como um disco, tem faixas ótimas e outras nem tanto. Como tudo na vida, é preciso experimentar, nem que seja para não gostar.

O MEDO DA MORTE

Foi muito comentado o programa de Paulo Sant'ana transmitido pela TVCOM no dia 19 de outubro e reprisado no dia 26, quando, inspiradíssimo, o jornalista pôs-se a imaginar o próprio velório. No domingo passado, o Fantástico também colocou no ar uma reportagem onde pessoas saudáveis mostravam seus caixões previamente adquiridos e davam instruções de como gostariam que fosse seu último ato. Pareciam estar falando de uma festa, de uma boda, de um baile de carnaval.

Aproveitando o clima de Finados, cabe a pergunta: será que a morte banalizou-se a tal ponto que ninguém mais a teme? Pois sim. Todos nós rangemos os dentes diante da única certeza absoluta de nossas vidas. Falar sobre ela, chamá-la para a briga, desafiá-la, nem que seja apenas com palavras, nada mais é do que um recurso para mantê-la a distância. É como se disséssemos: "Veja, estamos atentos, preparados", e com isso virássemos o jogo, fazendo-a temer a nós. Todos sabem: os desavisados é que são tomados de assalto.

Eu, rainha das céticas, não acredito em premonições. Prever a própria morte, então, é o mesmo que apostar num cavalo que corre sozinho: não tem como errar. Até podemos intuir nosso futuro profissional, o rumo que tomará nosso relacionamento amoroso, mas sempre há a possibilidade de sermos surpreendidos pelo destino. Já a morte é fato consumado, não dá chance ao adversário. E mesmo quando parece longe, ainda assim está próxima demais.

Quantos casos não nos contaram de pessoas que sentiram essa aproximação, e não eram pacientes terminais. "Resolvi topar aquela viagem a Montevidéu, sabe-se lá quando vou poder ir de novo." Pimba. Um mês depois o cara parte desta para melhor e alguém diz que ele estava "intuindo" a fatalidade. Quantas vezes não dizemos em voz alta expressões tipo: "nem morta", "só por cima do meu cadáver", "prefiro morrer a usar cor-de-laranja". Se cinco minutos depois cairmos fulminadas por um enfarto, sempre haverá alguém para dizer que estávamos prevendo a catástrofe.

Eu mesma já fui mais impressionável. Uma vez tive que viajar de carro para o interior do Estado. Durante as várias semanas que precederam a data, senti calafrios. Tinha certeza que seria uma viagem só de ida. Na manhã fatídica, cheguei ao absurdo de, antes de sair, acordar minha filha mais velha para me despedir, numa atitude mórbida que não faz meu estilo. E lá fui eu. Resultado: voltei intacta. Nem um pneuzinho furou. Essa tal de intuição feminina já viu melhores dias.

"Morrer, que me importa? O diabo é deixar de viver." Quem mais escreveria esta pérola senão o sábio Quintana? Também não me preocupo com o que há do lado de lá: silêncio, escuridão, inconsciência. Minhas madrugadas são iguaizinhas. Terror é nunca mais ir ao cinema, nunca mais caminhar na beira da praia, nunca mais estar perto de quem se ama. Quando me dizem que morte é passagem, faço que concordo com a cabeça, mas penso com meus botões: "Para a Grécia é que não há de ser". Me explicam, piedosos da minha ignorância, que é uma passagem para outro nível de consciência, sem ambições materiais e onde encontraremos nossos entes queridos. Não parece ruim. Um lugar sem espelhos, sem limite de lotação e sem o barulho que faz a obra aqui do lado. Negócio fechado: podem vir me buscar na virada do quarto milênio.

O caso foi muito comentado. A crítica de teatro do jornal O Globo, Barbara Heliodora, não conseguiu assistir a estréia da peça *A Dama do Mar* porque foi impedida pelo próprio diretor da montagem, Ulysses Cruz. Motivo: Barbara jamais escreveu uma palavra doce a respeito de qualquer uma das peças dirigidas por Cruz e, prevendo que dessa vez não seria diferente, o diretor se achou no direito de vetar a presença dela na platéia. Na manhã seguinte, o breakfast do moço deve ter sido dos mais tranqüilos: suco de laranja, queijo branco e nenhuma resenha corrosiva nos jornais. Estava salva a bilheteria.

A atitude do diretor não consta dos manuais de etiqueta. Ele foi grosseiro, autoritário e antidemocrático. Quem faz um trabalho direcionado ao público tem que estar preparado para ouvir elogios e críticas negativas. Como lordes ingleses que somos, abaixamos a cabeça e aceitamos, resignados, que nos estraçalhem. É para o nosso bem, quem sabe da próxima vez a gente aprenda como se faz.

Comovente, pena que seja falso como strass. Por dentro, nossa alma se corrói de ódio e desprezo por todos aqueles que não conseguem ver o quanto somos maravilhosos, geniais, divertidos. É comum artistas revelarem que tudo o que querem é se sentirem amados. Verdade verdadeira. Quanto mais nos expomos, maior é nossa necessidade de aprovação. Daí que quando cruza o nosso caminho uma senhora com quem não temos nenhum parentesco, e resolve achar que o que fazemos é medíocre, isso equivale a uma facada no coração. Barbara Heliodora diz que suas críticas se referem a trabalhos, não a pessoas. Bem intencionada, mas não existe essa dissociação. Quando alguém diz "que espanto esse seu vestido", você não pensa: "Tudo bem, minha amiga não gostou do vestido mas me acha sensacional". O recado que sua *mui* amiga mandou, mesmo sem querer, foi: "Que mau gosto você tem, querida". Nosso corte de cabelo, nossos filhos, nosso trabalho, tudo isso somos nós, muito prazer.

Hebe Camargo já confessou que cai de cama cada vez que lê alguma nota depreciativa a seu respeito. Marília Gabriela fica com vontade de arrancar os cabelos. Já Paulo Coelho diz que não dá a mínima. Pudera. Cinco milhões de livros vendidos, editado em 56 países, com prêmios na Itália, nos Estados Unidos e na França, vai se tocar com o que pensam ilustres desconhecidos? Seu chato, repetitivo, mala-sem-alça!!! Viu? Ele nem piscou.

Falem bem, falem mal, mas falem de mim. Esta frase deve estar tatuada em alguma parte do corpo da Vera Fischer. Tudo, menos o esquecimento, o ocaso, a indiferença. Não gostaram do seu bolo de espinafre, do seu curta-metragem, da sua franja lilás? Deixe que falem. Não faça como Ulysses Cruz, que deixou a bola picando. Barbara Heliodora vai assistir a peça de qualquer jeito e, terminada a encenação, vai dizer que ele deveria estender a gentileza que teve com ela a todos os que forem para a fila do teatro: mandá-los de volta para casa. Adversários não costumam perder esse tipo de oportunidade. Por isso, o melhor é não provocá-los. Já que não seria de bom-tom enforcar um por um em praça pública, o jeito é seguir os conselhos de Oscar Wilde: "Perdoe seus inimigos. Nada os aborrece tanto".

VERÃO: A DECADÊNCIA DO IMPÉRIO

Depois de um inverno gélido e interminável como o que nos deixou recentemente, a chegada do verão merece ser comemorada com vestidos de alcinha, redes nordestinas, um livro ameno e litros de vinho branco repousando em baldes de gelo. Um verão com piscina, brisa, ar condicionado. Um verão com árvores floridas, manhãs ensolaradas, luares, estrelas, sossego, você e o amor da sua vida. Na Côte D'Azur, que tal?

Não vai dar? Bem-vinda ao clube. Eu, você e a maioria esmagadora da população temos que nos contentar em ver esse verão idílico através das propagandas de refrigerante e bronzeador, porque aqui, na vida real, não existe civilização acima dos 20 graus centígrados.

A primeira a ser assassinada pelo calor é a elegância. Depois de esbanjarmos charme com nossos mantôs, botas e suéteres de gola rulê, somos obrigadas a usar verde-limão e cor-de-laranja até em missa de sétimo dia. As vitrines do Brasil não me deixam mentir. Sumiram com o violeta, o mostarda, o azul-noite. Só dispomos de cores histéricas.

O calor não desvirtua apenas o bom gosto:

também corrompe os bons modos. Os homens trabalham sem camisa, dirigem sem camisa, almoçam sem camisa e vendem pêssegos na calçada, adivinhe, sem camisa, num despudor de dar inveja ao parlamento inglês. Nada contra, se fossem todos galãs de novela e morassem na beira da praia, mas o que vemos são cavalheiros com pneus inflados nas laterais do corpo, peitos que nunca viram um haltere, pêlos em abundância e barrigas suadas sob um sol africano. *Very fashion.*

Nós, as donzelas, não ficamos atrás. Tivéssemos a altura e os ossos de Shirley Mallmann, qualquer canga amarrada em volta do pescoço seria considerada alta-costura, mas somos baixinhas e avantajadas nos quadris. Shortinhos, bermudas-ciclista, minissaias, frentes-únicas, calças-cigarrete e camisetas de barriga de fora combinam conosco tanto quanto um hábito franciscano combina com a loira do tchan.

Franjas colam na testa. Cabelos grudam no pescoço. Coques são feitos às pressas, com qualquer coisa que se tenha à mão: fita-crepe, cadarço de tênis, prendedor de roupa. Encontrar um grampo no console do carro, num engarrafamento às quatro da tarde, é mais comemorado que descoberta de petróleo no quintal. Aliás, engarrafamentos. Quem se locomove em veículos sem ar condicionado sabe o que sentem aquelas pobres franguinhas que são cozidas em fornos rotativos de padaria. Nosso cérebro entra em combustão e ai daquele que nos pedir passagem, principalmente se *ele* estiver com todos os vidros fechados e uma aparência de quem acabou de sair do banho. Rosnar será uma delicadeza de nossa parte. Nova Deli, 40 graus.

Umidade, abafamento, sufoco. Pegar a estrada parece ser a única saída, e lá vamos nós, viajar três horas num congestionamento-monstro rumo a paraísos chamados Imbé, Tramandaí, Cidreira, Capão. Lugares onde sempre chove em algum horário do dia, geralmente entre 10 da manhã e três da tarde, protegendo os veranistas que insistem em se expôr aos raios ultravioletas. O vento levanta guarda-sóis, a areia invade os calçadões e a mesa de biriba é o point da noite. Mas tudo isso é compensado pela certeza de que, aconteça o que acontecer, o mar estará onde sempre esteve e do jeito que sempre foi. Nem verde-limão, nem cor-de-laranja. Marrom. *Très chic.*

Rio Grande, ame-o e deixe-o

Pouco tempo atrás o jornal Zero Hora divulgou o resultado de uma pesquisa sobre o sentimento do adolescente gaúcho a respeito do Rio Grande do Sul. Foram ouvidos jovens de várias cidades do estado, na faixa dos 16 aos 22 anos. Resultado: mais de 80% tem orgulho da terra onde nasceu. A maioria não viveria em nenhuma outra cidade, tem os pais como ídolos e sentiria muita saudade de casa se fosse passar um tempo fora. Para mim, botaram alguma coisa no chimarrão dessa gurizada.

O resultado da pesquisa não surpreende. O Rio Grande do Sul é mesmo macanudo. É bonito, tem uma cultura rica, um povo trabalhador e as quatro estações do ano bem definidas. A qualidade de vida é uma das melhores do país. É um estado que valoriza o esporte, a gastronomia, a educação. Está estrategicamente localizado entre as praias semicaribenhas de Santa Catarina e o cosmopolitismo de Punta, Buenos Aires, Santiago. Adoro o Rio Grande. Posso cair de pau agora?

O Rio Grande do Sul vive para dentro. Cultiva suas tradições como um pai feroz cuida da filha donzela. As campanhas publicitárias são um termômetro desse regionalismo exarcebado. Até bem pouco tempo não se fazia propaganda de banco estatal sem bombacha, cuia e chimarrão. Podia-se jurar que, ao entrar no Banrisul, encontraríamos o Paixão Cortes atendendo no caixa. Mais: o protecionismo gaudério não deixa que se critique a literatura gaúcha, os músicos gaúchos, a costela gaúcha. Quem ousa substituir o *tu* pelo *você* corre risco de ser linchado, mesmo que o coitado esteja morando no Rio desde os dois anos de idade. Aqui é terra de macho. *Leve o Rio Grande no Peito. A Força do Rio Grande. O Orgulho de Ser Gaúcho. Nossa Terra, Nossa Gente.* A la putcha, tchê!

Eu, aos 18 anos, queria tudo, menos ficar sentada na frente do Guaíba contemplando o pôr-do-sol. Queria conhecer outros lugares, outras pessoas, outros costumes. Tinha a curiosidade e a inquietude naturais de qualquer adolescente. Necessitava contestar, experimentar outras vivências, ou outras querências, vá lá. Não era preciso drogas nem bebidas para isso. Bastavam alguns livros e uma cabeça aberta ao novo.

Não via o Rio Grande do Sul como o meu lugar: o mundo era o meu lugar. Eu era o slogan ambulante do American Express. E sou assim até hoje. Nosso estado é como a casa da gente, um lugar para se voltar no final do dia, para se encontrar a família, para se tirar os sapatos e jogar-se no sofá. Gostar da região onde se nasceu é que nem gostar de pai, de mãe, de filho: podem ter todos os defeitos do mundo que ama-se do mesmo jeito. Os pernambucanos, cearenses e baianos que vivem em São Paulo estão lá a trabalho, tentando ganhar a vida, mas é pelo Nordeste que batem seus corações. Família e pátria estão sempre de portas abertas, podemos ir e voltar a qualquer hora, não é preciso ficar guardando o lugar.

Orgulhar-se do que é nosso é saudável. Mais que isso, é prova de bom-caratismo. Mas o confinamento é terreno fértil para preconceitos. O gaúcho não gosta de mudar de colégio, de bairro, de clube. Olha feio para vegetarianos, é sarcástico com mulheres independentes, debocha de gays e não freqüenta lugares ecléticos. Não todos, mas muitos são assim, principalmente aqueles que só olham para o próprio umbigo.

Ser gaúcho não é uma escolha, é um acaso do destino. Poderíamos ter nascido no Acre, mas nascemos aqui. Também poderíamos ter nascido em Paris, mas nascemos aqui. Tudo é uma questão de ponto de vista. Quanto mais longe se olha, melhor se enxerga o que está perto.

Mentiras sinceras

Entre as diversas qualidades que um ser humano é capaz de ter, a sinceridade está entre as mais bem cotadas. Pergunte a uma adolescente o que ela espera do príncipe encantado: "Que seja sincero". O que ensinamos para nossos filhos assim que eles pronunciam gugu-dadá: "Fale a verdade, nenê". O que a população do planeta espera de seus representantes no governo, ainda que em vão: "Sinceridade". Pois bem. A sinceridade está na moda. Está todo mundo dizendo o que pensa, o que sente, o que teme. Mas em nome dessa liberdade total de expressão, muitas pessoas acabam confundindo sinceridade com esculacho, esquecendo que até para ser sincero é preciso certa dose de diplomacia. Vejamos a diferença entre ser uma pessoa aberta e uma jamanta sem freio.

Sua mãe pede uma opinião sobre o vestido que vai usar no réveillon.

Diplomacia: "Esse seu vestido é elegante, mas linho amassa tanto. Por que você não coloca aquele outro, de crepe?".

Grossura: "Mãe, você não está pensando em ir à festa embrulhada nesse saco de aniagem, está?".

Sua tia abre o presente que você deu a ela e que ela, visivelmente, odiou.

Diplomacia: "Que ótimo, o *Monte Cinco*. Pena que eu já li. Você se importa de eu trocar pelo do García Márquez?".

Grossura: "É um mistério como esse homem vende tanto escrevendo tão mal, não é mesmo?".

Sua vizinha elogia o vaso de lalique que está na sua sala e você conta que ele foi da sua avó e que ela acaba de dar a você.

Diplomacia: "Que generosa!".

Grossura: "Que burra!".

O rapaz mostra ao colega de escritório a foto da namorada, publicada na Playboy.

Diplomacia: "Como ela é fotogênica".

Grossura: "Mas o que essa potranca viu em você?".

A esposa se olha no espelho e diz para o marido que acha que engordou um pouquinho.

Diplomacia: "Então é por isso que está tão bom te abraçar".

Grossura: "Então é por isso que o banco do carro afundou".

Há sempre um jeito de dizer a verdade sem ofender, sem agredir, sem constranger. É preferível mentiras sinceras do que verdades ferinas. Sua bisavó, no alto dos seus 100 anos e de sua surdez crônica, avisa que vai visitá-la bem na noite em que você combinou de jantar com um deus. Você está encurralada: "Que ótimo, bisa". Meia-hora depois, ela telefona dizendo que rompeu o tendão e está de cama. Você, no céu: "Que tragédia, vozinha". *Que ótimo* e *que tragédia* foram trocados de lugar, mas por causa disso você foi mentirosa? Não. Você foi educada.

Gírias também são uma mão-na-roda nessas sinucas. Uma amiga pergunta: você gostou do meu novo corte de cabelo? A primeira coisa que você pensa é que Elke Maravilha cometeria harakiri de inveja. Sua amiga está uma mistura de Malvina Cruela e Nina Hagen. O novo corte não só lhe roubou alguns anos de juventude como também o pouco que lhe restava de juízo na cabeça. Qualquer mulher sairia do cabeleireiro direto para o prédio mais alto da cidade e se atiraria do terraço, de bico. Você responde: "Arrasou". Não é preciso ser mais sincera do que isso.

Cuadernos de Temuco, uma seleção de 200 poemas que Pablo Neruda escreveu quando ainda era um jovem desconhecido, foi lançado há poucas semanas em Santiago do Chile. Sejam eles poemas bons ou medíocres, devem estar sendo bem recebidos pelo público. Obras inéditas de escritores falecidos são sempre bem-vindas, ainda mais quando o escritor é um Prêmio Nobel de Literatura. Resistir, quem há de?

No entanto, sempre que leio a notícia de que uma obra póstuma e inédita está sendo lançada, fico com os fios do cabelo eriçados. Como receberia a notícia o ilustre autor que jaz embaixo da terra? Mudo, inerte, inconsciente, como ele poderá manifestar-se diante da exposição pública daqueles versos, crônicas ou contos cometidos aos 15 anos, quando a ingenuidade era muita e a experiência, nenhuma? Só mesmo mandando o espírito vir puxar os pés do editor e dos membros da família que autorizaram a indiscrição.

Mente o escritor que diz não desejar a imortalidade. Mente também o pedreiro, o açougueiro, o chefe do almoxarifado. Todos nós queremos continuar marcando presença depois de passar dessa para melhor, e por isso fazemos filhos, plantamos árvores, escrevemos livros. Mas devagar com o andor. Queremos ser lembrados pelo que acreditamos ter feito de melhor, não pelo que encontraram escondido e amassado no fundo da nossa gaveta, como um cachorro sem dono.

Caio Fernando Abreu admitiu muitas vezes em entrevistas que o seu *Ovelhas Negras* era um livro póstumo organizado em vida. Ele próprio preferiu fazer a faxina nos seus rascunhos e avaliar o que era publicável ou não. Sorte nossa, que tivemos o prazer de ler belas histórias que em nenhum momento comprometem o talento do escritor. Já o também ótimo *Pequenas Epifanias* foi lançado depois que Caio faleceu, mas é um livro que reúne crônicas que haviam sido publicadas anteriormente nos jornais do país. É um resgate para a posteridade. O problema são os inéditos.

Tudo o que passou pela minha cabeça dos 16 aos 20 anos está anotado em três cadernos de 200 páginas cada um. Delírios, sonhos, vivências, letras de música, listas de filmes, o céu e o inferno de uma adolescente típica. Ninguém nunca viu nem a capa destes cadernos. Já estive com eles bem perto da boca do fogão, mas na hora agá não consegui cremá-los. Penso que eles podem me ajudar a entender minhas filhas mais tarde, quando elas se trancarem no quarto porque o namorado estava estranho no telefone ou porque não foram convidadas para uma festa. A gente esquece como esses pequenos problemas são enormes.

Meus cadernos continuarão a existir e quem ousar publicá-los terá noventa anos de azar, é uma praga poderosíssima que só eu e a Mônica Buonfiglio conhecemos. Quanto aos mais de quatrocentos poemas que escrevi dos 13 aos 17 anos, tudo na santa paz: incinerei um por um na tarde mais divertida da minha vida. Nada de disquetes, nenhuma cópia. Publicação póstuma? *No way.*

Publicar originais sem o consentimento do autor é golpe baixo. Até pode acontecer de uma obra genial vir à tona depois de séculos de sepultamento, mas é raro. Quase ninguém encontra um *Cem Anos de Solidão* esquecido no fundo do baú. Na maioria das vezes, obras póstumas são obras menores, cujo valor é mais sentimental do que artístico. Seu único benefício é mostrar aos jovens autores que ninguém nasce sabendo e que a prática é a melhor amiga do talento. Mas nem esse argumento me comove. Já bastam as besteiras que fazemos em vida.

Paulo Francis por aí

Qual é o maior desejo do ser humano? Uma mansão em Miami com torneiras de ouro, responderia um deslumbrado. Saúde, responderiam os ponderados. A imortalidade, responderiam milhões. Pois é com a imortalidade que deverá ser premiado Paulo Francis, não porque a tenha desejado, mas porque ele teve a coragem de desafiar aquele que é, sem dúvida, o verdadeiro e silencioso desejo de absolutamente todos nós: ser amado.

Paulo Francis era elitista, racista, agressivo, petulante, machista, mas era inteligente o bastante para saber que o medo de ser odiado pode ser mais letal do que um câncer: paralisa neurônios, anestesia a mente, mata a personalidade. Francis era uma das poucas pessoas que dizia exatamente o que pensava, o que é um ultraje em tempos politicamente corretos. Um pouquinho de marketing? Tinha. Mas seu destempero verbal não era fruto de uma estratégia programada. Ele simplesmente soube, como ator que era, dourar a imagem do polemista nato.

Eu concordava com muitas de suas opiniões e discordava de outras tantas. Não foram poucas as vezes em que o considerei um grosso, e falta de educação nunca foi prerrogativa de jornalista nem de ninguém. No entanto, algo me fascinava em seu estilo de dizer as coisas, independente da violência das acusações ou do sarcasmo de alguns comentários: era o fato de ele ter conquistado a liberdade de citar filósofos pouco conhecidos, de narrar óperas inacessíveis e de cair de pau em grande parte da nossa cultura popular sem sentir um pingo de remorso, sem nenhuma diplomacia, sem acender vela para deus nem para o diabo. Preocupava-se mais com a ração de seus gatos do que com as reações dos seus leitores.

Há mérito nisso? Quem vive de escrever sabe que há. Pode-se fazer uma afirmação de mil maneiras: com suavidade, com elegância, com humor, com duplo sentido, com paixão, com raiva, com desprezo, com respeito, sem respeito. Escolher palavras para se dizer o que pensa é um trabalho artesanal, meticuloso, de risco calculado. Depois de um certo tempo nesse ofício, escreve-se mais rápido, o estilo se impõe e tudo flui sem tanta racionalidade, mas nunca se perde a noção do perigo. Sabe-se muito bem que o leitor médio não é nenhum bacharel em Letras e que pode considerar ofensiva até uma receita de olho-de-sogra. Vide as cartas para a redação.

Pois Francis passou por aqui para dar um recado: desrespeito ao leitor é tratá-lo como analfabeto, como um ser incapaz de raciocinar sobre o que está lendo e tirar suas próprias conclusões. Desrespeito é um comentarista maquiar suas posições por receio de não ser aceito. Desrespeito é escrever mastigadinho, é querer agradar gregos e troianos, é se autocensurar visando o reino dos céus. Nem sermão de padre consegue ser tão chato.

É por isso que todos aqueles que adoravam Paulo Francis e também os que o odiavam do fundo do coração devem lamentar sua morte. Porque ele era ranzinza, implicante, metido, mas também era culto, sensível, engraçado. Porque sua insistente manifestação de desdém pelo mundo nada mais era do que uma idolatria ao bem-viver, ao bom gosto, a tudo de belo que o ser humano merece e, sem notar, abdica.

Seus inimigos não haverão de estar aliviados. Ruim com ele, pior sem ele.

Grande África

Você lembra quando sua mãe dizia para você baixar o volume da eletrola? Você ria na cara da coroa. É três-em-um, mãe. Três-em-um! Pois hoje quem chama o som de três-em-um merece ser empalhado e doado para um museu de história natural, e quem chama a mãe de coroa também. Nada revela mais a nossa idade do que o vocabulário. Um amigo meu chegou a fazer uma lista de expressões que foram vencidas pelo tempo, mas meu maior fornecedor era Paulo Francis, que em suas crônicas usava e abusava de termos datados da década de 60. As crônicas de Nelson Rodrigues, tão bem adaptadas para a tevê, também fazem um retrato perfeito de época através da linguagem. Mas como muita gente não gosta nem de Francis, nem de Nelson Rodrigues, o jeito é fazer uma sessão nostalgia, você sabe onde: na casa da coroa.

É lá que você ainda vai ouvir que sua calça de brim está imunda e que é preciso chamar um auto de praça para levá-la à rodoviária. Mas não ache muita graça. Se abrir o seu diário de adolescente ou reler as cartas que escrevia quando se achava a mais moderna dos mortais, vai encontrar um baú de expressões que, não fazia muito tempo, estavam na crista da onda.

"Querido diário. Ando meio jururu. Não fui convidada para o bota-fora da Penélope. Ah, grande áfrica. A festa vai ser numa big de uma casa mas isso não quer dizer chongas. A Soninha me contou que vai todo mundo na maior estica e que o Rodrigo vai pegar a caranga do pai dele escondido. Credo, se ele for pego na tampinha vai levar o maior carão. Ou até uma sova. A turma acha que eu estou borocochô. Uma pinóia. Só quero sossegar o pito. Se me der na veneta, vou até lá para tirar um sarro, mas entrar na baia eu não entro, que eu não sou furona, e depois, lá só vai ter bocó. Os amigos da Penélope são todos uns bitolados, uns bodosos, não entendem patavina de nada. Eu sei por que a Penélope não me convidou. Ela é gamada no Sérgio, e ele está dando lance para mim. Outro dia foi me buscar na saída do colégio na maior beca e não deu a menor pelota para a Penélope. Aziras. Não tenho nada a ver com o peixe. Nem tô para aquela desgranida."

Atire a primeira pedra quem nunca falou assim. Eu mesma me pego, até hoje, usando umas expressões antigas que continuo achando bacana. Mas reciclar é preciso. Sair por aí dizendo que o último filme do Scorsese é do arco é atestar total incompatibilidade com a mídia. Tome umas aulas com a MTV.

Portanto, gurizada medonha, não riam de suas avós, não riam de suas mães, de seus pais, de seus tios. Amanhã o vocabulário de vocês estará morto e enterrado e ainda assim vocês insistirão em dizer "zoar", que já vai ser total careta. Dizer que o cara está caidaço ou que a garota é uma naja vai fazer seus filhos rolarem de rir. Você vai contar como conheceu o pai deles? Que "ficou" com ele no Planeta Atlântida? Eles vão ter um treco. Vão achar que vocês se conheceram no fundo de uma caverna, isso sim.

O vocabulário da hora (lembra "da hora"?) não resiste a mais de uma geração. Às vezes, nem a um único verão. Fazer o quê? Continuar tagarelando do jeito que se sabe, com as palavras que encontrar. Só não vale fechar a matraca.

Se você tem mais de cinco meses de idade, já entrou num supermercado e passeou naquelas cadeirinhas acopladas nos carrinhos. Se tem mais de cinco anos, já entrou e implorou aos berros para sua mãe comprar a maçã da turma da Mônica. Se tem mais de 10, já entrou e adquiriu dois pacotes de salgadinhos com a própria mesada. E se tem mais de 18 e mora sozinha, ou casou, está condenada a ir ao supermercado pelo menos uma vez por semana para o resto da sua vida.

Homens que freqüentam o supermercado só de vez em quando, no caso da esposa estar internada na UTI, não sabem o exercício de autocontrole que é preciso cada vez que nos dirigimos ao super mais próximo. Alguns estabelecimentos são ótimos, outros são razoáveis, uns são desastrosos, mas todos, sem exceção, conspiram para nos enlouquecer.

Estacionamento. Chegar e encontrar vaga perto da porta de entrada, à sombra: não conheço essa sensação. Se quero sombra, tenho que me dirigir ao subterrâneo, um local ermo, ideal para um assassinato. Elevadores que transportam carrinhos? Sim, existe um. Procure-o, e se encontrá-lo, não esqueça de avisar onde fica.

Entramos no recinto. Agora é só pegar o carrinho e ir em frente. Mas de que jeito? As rodinhas não se entendem, cada uma quer ir para um lado. Troque de carrinho, belezoca. Yes! Aquele com uma folhinha de alface presa na grade está desocupado? Então lá vamos nós. Um vidro de maionese, para começar. Peguei. Agora é só colocar no carrinho, tomando toda a precaução para não deslocar a coluna. Você sabe do que estou falando: os carrinhos são fundos. Parece que você está colocando os produtos dentro de um poço. Não dá para jogá-los, então o jeito é encurvar-se, cuidando para não quebrar os recipientes nem a sua espinha.

Continuamos em frente. Não dá. Tem um fio de enceradeira no meio do caminho. Um fio imenso, grosso, parece uma cobra. O carrinho não passa. Você tenta desviar. Impossível. Você tenta chamar um funcionário, mas ele não escuta por causa do barulho da enceradeira. Você então faz um apoio com o joelho e empina o carrinho, passando por cima da cobra. E deixa para se descabelar em casa.

Você já colocou tudo no poço, enfrentou serpentes e agora se dirige ao caixa. Nem lembra mais como era o mundo sem a automação, sem o código de barras, sem a maquininha que preenche o cheque para você, mas ainda há alguns supermercados nostálgicos, que se recusam a aderir aos novos tempos, e é nesses que a sua reserva de paciência se esgotará, não sobrando nada para depois. O que vem depois? Ora, o quê. As sacolas.

Se você optou por um supermercado popular, vai querer cortar os pulsos. Você mesma terá que acomodar suas compras. Ovos com lustrador de móveis, fita de vídeo com manteiga, uvas com garrafas de refrigerante, tudo junto, como uma grande família. Dane-se a higiene.

E se você inventou de comprar um presente no supermercado, merece. Vai enfrentar uma empacotadora que está contando os minutos para aposentar-se, mesmo que tenha 17 anos. Ela vai querer embrulhar você. Enquanto isso, a manteiga vai virando uma pasta disforme. E você ainda nem sabe onde fica o elevador que leva ao antro, ao breu, aquele local suspeito onde você deixou seu carro ao lado de milhares de outros, todos iguais, da mesma cor.

Quem diz que a vida de dona-de-casa não tem emoção nunca fez um rancho.

Dia internacional do homem

Qualquer data serve. 14 de abril. 20 de agosto. 17 de novembro. Em breve, os homens irão monopolizar-se pela criação do seu dia, onde encontros, seminários e homenagens serão realizados no mundo inteiro, chamando a atenção para essa classe oprimida.

Não anda fácil ser homem. Eles trocam fraldas, levam os filhos ao parque, participam de reuniões escolares, saem de férias com a garotada, e tudo isto, veja bem, sem ver a cor de um contracheque. Nem décimo terceiro, nem fundo de garantia. Remuneração zero.

Por isso, além das lides do lar, os moços trabalham fora. E ai deles se fracassarem. Precisam ser durões, competitivos, enérgicos. Nem pensar em chegar atrasado por causa de uma cólica intestinal ou sair de uma reunião aos prantos. Tem uma fila de desempregados lá fora com a senha na mão para assumir o posto.

No amor, a opressão é ainda maior. Os homens que não casam são marginalizados pela sociedade. São vistos como playboys, filhinhos da mamãe ou bichas enrustidas. Casam-se, então. E surpresa: até que é bom! Mas não dá para confiar nas mulheres. Mais cedo ou mais tarde elas começam a se queixar da monotonia, da rotina sexual, da falta de liberdade e pedem o divórcio sem dar aviso prévio, deixando o pobre com uma mão na frente e outra atrás. Elas levam o apartamento, os filhos, os amigos, boa parte da renda familiar e o conhecimento integral de como funciona a engrenagem doméstica. Ficam os homens sem saber como ligar a torradeira e em pânico quando a faxineira diz que precisa de material. Do que você precisa, santa? Fita isolante, pregos, disquetes? Não senhor: água sanitária, sabão em pó, amoníaco, vassoura, óleo de peroba. Dá para escutar os gritos dele lá da outra quadra.

É barra. Os homens morrem e deixam uma herança de fama e fortuna às suas viúvas e namoradas. Agora diga aí que homem, viúvo de mulher famosa, foi convidado para posar nu ou escrever uma biografia.

Homens não podem engravidar. Homens têm uma expectativa de vida menor. Homens pagam mais consumação em bares e boates. Homens pagam mais seguro. Homens têm menos alternativas para se vestir. Homens não usam maquiagem. Homens não têm cintura. Homens expressam seus sentimentos com dificuldade. Homens são mantidos como reféns. Homens afundam com os navios.

Não bastasse essa discriminação toda, eles agora estão prestes a ser descartados daquela que é sua maior contribuição à sociedade, a reprodução.

Oh, Dolly!

Dia Internacional da Mulher é um acinte. Um deboche. Uma provocação. Já teve sentido, não há mais. Mulheres verbalizam tudo, conversam pra caramba, trocam experiências, debatem, riem, se divertem, todo santo dia. Chega. Passemos a palavra.

Parabéns pra você

Ser mãe é padecer no paraíso. Quem criou esta frase foi uma mãe, lógico. A questão é: onde estava ela em momento tão inspirado? Esquentando mamadeira às quatro da manhã? Limpando o pudim que o filho deixou cair no tapete felpudo? Arrisco um palpite: ela estava organizando um aniversário de criança.

Quando eu era menininha, pouco tempo atrás, aniversário era uma coisa simples. Alguns convidados, um bolo, velinhas, bala de goma, negrinho, cachorro-quente. As crianças brincavam, depois cantavam o parabéns, tiravam fotos e estava festejado. Era assim com pobres e ricos, não havia grandes variações.

Mas todos sabemos do que é capaz a imaginação humana. Aniversário de criança, hoje, requer a contratação de um serviço de cerimonial. Exagero? Então me acompanhe.

O bolo sumiu. Não existe mais bolo de aniversário, e sim umas caixas de isopor enormes, que podem representar tanto um estádio de futebol como a floresta da Pocahontas. Você sabe: aniversário de criança tem que ter "motivo". Branca de Neve,

Cavaleiros do Zodíaco, Mamonas. No meu tempo, o motivo era a gente ter nascido naquele dia.

Velinha também virou peça de museu. Agora acende-se uns palitos que podem até cegar o aniversariante. Não assopra-se, apenas torce-se para que não exploda.

Lembra de jujuba, confete, delicado? Esqueça. Quanto mais chique o aniversário, menos porcaria. Bastam duas caixas de Bis e aqueles chicletes que têm uma gosma dentro. Você é do tempo em que as crianças comiam nas festinhas? Nossa, como você é antiga.

Mais importante do que o bolo que não existe e as velinhas que ninguém assopra é a recreacionista que todos veneram. Merecem ser canonizadas. Vestir-se de Minnie e enfrentar a pirralhada não é vocação: é chamado de Deus. Mas elas também sabem ser malvadas. Colocam a criançada em fila e pintam suas mãozinhas e bochechas com uma mistura de cola e purpurina que só sai esfregando com força na roupinha nova.

É hora do balão surpresa, uma brincadeira suicida. Quinhentas crianças amontoam-se embaixo de um balão que, ao ser estourado, deixa cair meia dúzia de balas de hortelã. Arranhões, mordidas, bofetadas. Parece o auditório do Sílvio Santos no Topa Tudo por Dinheiro.

Por que elas não brincam no jardim? Não faça essa pergunta se não quiser revelar sua idade. Playground, salões de festa, casas de aluguel, tudo com bastante concreto, assim é que é. Atualize-se.

E ao encerrar o evento, mais uma modernice: a famigerada lembrancinha. As crianças só participam da festa porque sabem que no final receberão um prêmio por terem comparecido. Ao chegar, elas já intimam a mãe do aniversariante: vai ter lembrancinha? Dependendo da resposta, voltam para casa. Educação suíça.

Por que suportamos tudo caladas? Porque mãe é sinônimo de sacrifício, entrega, benemerência. Porque só se é criança uma vez e chegará o dia em que, em vez de festa, eles vão querer a parte deles em dinheiro. Esse dia já chegou para você? Do fundo do coração, parabéns.

Um homem de farda. Era tudo o que as moças, tempos atrás, desejavam para marido. Um homem uniformizado, galante, condecorado. Pouco importava se pertencia à Marinha, Exército ou Aeronáutica, desde que usasse quepe e tivesse bastante espaço no peito para as medalhas. Aliás, nem precisava ser assim tão graduado. Um comandante de avião, um guarda florestal, um motorista de limusine. Que donzela não teve esse fetiche?

Os garotos também sempre foram fascinados por fardamentos. O traje de escoteiro, o quimono de judô, o uniforme do futebol. Tudo isso era mais do que uma vestimenta, era a certeza de pertencer a uma determinada classe de indivíduos, a uma categoria de rapazes com uma função especial. Era um time, um grupo, uma corporação. Não eram sós.

Uniformes servem para isso, para selecionar grupos e mandar mensagens para a sociedade. O uniforme escolar, o uniforme do porteiro, o jaleco do médico, até mesmo o terno e a gravata, tudo isso é uma maneira de dizermos ao mundo a que viemos e impôr respeito. São grupos que se protegem mutuamente. Pessoas sem rosto, apenas com um ideal, que pode ser estudar, ou administrar, ou jogar, ou defender. Ou matar.

Pois é, matar foi o ideal dos homens uniformizados da Polícia Militar de São Paulo, que ao darem um show de truculência em Diadema, conseguiram colocar por terra todo e qualquer respeito que se venha a ter, daqui por diante, por um traje oficial.

A ditadura militar deu o primeiro passo para desmoralizar o verde-oliva, e desde então a decadência fashion dos uniformes só aumentou. Ninguém mais quer vestir ideologias, mas civilidade. Muitos padres aposentam a batina sem com isso abandonar sua fé e sua vocação religiosa. A maioria das escolas aboliram o uso de uniforme, para alegria da criançada e desespero das mães. Camisetas de times esportivos deixaram de ser exclusividade de jogadores e ganharam as ruas, virando moda. Algumas turmas de formandos abriram mão das togas sem com isso desmerecer seu diploma. Que escritor sonha hoje em vestir o fardão da Academia Brasileira de Letras e equiparar-se a José Sarney? Até mesmo Fidel Castro tem sido visto à paisana. Recolham as insígnias, pessoal. Uniforme não é mais símbolo de status nem garante proteção a ninguém.

Almirantes, comandantes, tenentes, titulares de postos de alto comando, no que essa turma é diferente dos cidadãos que vestem jeans e camiseta? Por que um sujeito em traje de gala seria mais digno do que um pintor de paredes vestindo um macacão? Há muito tempo que não existe mais uniforme de bandido nem de mocinho. Delegados se vestem como bicheiros e delinqüentes por pouco não são convidados a desfilar numa passarela. Peço perdão aos homens decentes que patrulham nossas ruas em troca de um salário miserável e nenhuma segurança, mas a verdade é que seus uniformes não lhes conferem mais respeito nem enaltecem suas funções. Não é mais credencial. Temos medo igual.

Agências de casamento

Eu conheci meu marido quando fui passar um fim de semana na casa de amigos. Mas poderia ter sido numa festa, na praia, no local de trabalho. Poderia ter ficado presa com ele num elevador. Poderia ter dividido com ele um táxi num dia de chuva. Poderia ter sentado ao lado dele num avião. Só não poderíamos ter sido apresentados por uma agência de casamentos: ao cruzar nossos dados, ninguém apostaria um níquel em nós, e mais uma história de amor não teria começado.

Quando alguém busca uma agência de casamentos, está buscando o par ideal. Moreno, um metro e oitenta, esportista, dono do próprio negócio, carro do ano, que adore viajar, fale seis idiomas, seja carinhoso, romântico, bem-humorado, órfão de pai e mãe e único herdeiro de uma tia milionária. Será que existe um candidato assim? Se existir, deve estar reservado para uma jovem de corpo escultural, que adore cozinhar, seja econômica, inteligente, delicada, independente e que esteja pensando seriamente em seguir carreira de top model, já que costumam confundi-la na rua com a

Linda Evangelista. Nascidos um para o outro, até que saem para o primeiro chope do resto de suas vidas.

As agências de casamentos proporcionam encontros entre casais que potencialmente se completam. Homens e mulheres na mesma faixa etária, com hobbies e temperamentos afins têm mais chance de se encontrar num disquete de computador do que no balcão de um bar de uma grande cidade. Até aí, as agências de casamentos são mesmo um grande negócio. Você não precisa pagar um drinque para alguém que cinco minutos depois vai estar contando que não pisa num cinema há onze anos, só bebe Campari, é louca pelo Latino e que o último livro que leu foi *Meu Pé de Laranja Lima*, porque a professora mandou. Uma agência de casamento pode providenciar para que esse poço de cultura e Arnaldo Jabor nunca sentem na mesma mesa.

As afinidades são responsáveis pelo início da maioria dos relacionamentos. Mas na manhã seguinte, quando acordarem juntos, pouco vai importar se ela gosta de comida italiana ou se ele é um ótimo contador de piadas. Os hábitos de higiene, o humor matinal, a toalha molhada jogada no chão, tudo isso também faz parte do romance. Estarão estes dados no cadastro de um candidato a marido? "Ronco a noite toda. Não gosto que o lençol fique preso nas bordas da cama. Fumo no quarto, sim, e daí?"

Ou no cadastro dela: "Grito no telefone. Sempre tranco o carro com a chave na ignição. Costumo estourar meus cartões de crédito. Levo duas horas para trocar de roupa. E não conte comigo nas segundas-feiras, porque não perco o programa da Hebe por nada deste mundo".

O sucesso de um relacionamento está nos detalhes: na maneira como cada um aceita os defeitos que não foram confessados no primeiro dia, no bom humor para lidar com as coisas que não saíram como o planejado, no apoio que se dá e se recebe incondicionalmente, estejamos no auge ou na beira do abismo. Está na cama, no quarto, do lado de dentro da casa. Não basta o casal ter gostos comuns, é preciso que estejam ligados na mesma voltagem, e isso só se descobre no dia-a-dia. Qualquer homem que me dissesse "odeio carnaval, adoro viajar de trem, não suporto música sertaneja, gosto de queijo, de beijo, não gosto de turma, prefiro sair só nós dois" poderia parecer meu príncipe encantado. Mas bastaria um preconceito, uma grosseria, uma indiscrição, e o príncipe viraria sapo num estalar de dedos. Almas gêmeas não se cadastram.

Tal é a minha paixão por Pablo Picasso que não pude deixar de assistir ao filme de James Ivory, onde o pintor andaluz é interpretado pelo não menos magnífico Anthony Hopkins. O filme é fraco, mas o personagem é grandioso. Vale o ingresso.

Os Amores de Picasso não se detém na obra do mestre, mas na sua personalidade egocêntrica e na sua infidelidade absoluta a todos que o rodeavam, mulheres, amantes, amigos, empregados. A história é narrada por Françoise, que casou com Picasso quando este já tinha mais de 60 anos e que com ele teve dois filhos, Claude e Paloma. Segundo consta, foi a única mulher que teve coragem de abandoná-lo. Vendo o filme, fica fácil entender por quê.

Avarento, machista, mal-agradecido, petulante, excêntrico. Sim, Picasso era mais um desses homens que acham que, acima deles, só há Deus e olhe lá. No entanto, a arte ocidental deste século mal seria lembrada caso esse maluco não tivesse começado a desenhar aos dez anos de idade, desenvolvendo uma técnica excepcional e uma genialidade intuitiva que renovou todos os padrões da época e que mantém-se, até hoje, sem concorrência. Isso perdoa suas distorções de comportamento? Isso nos põe de joelhos.

Não é preciso ser mau-caráter para ser gênio, mas é preciso ser livre, e liberdade não combina com convenções. A liberdade é politicamente incorreta. A liberdade é personalista. A liberdade não se veste bem, não tem bons modos, não liga para o que os outros vão dizer. Ser absolutamente livre tem um ônus que poucos se atrevem a pagar. Picasso pagou com sua arte e deixou o mundo devendo.

Se Picasso fosse monogâmico, polido, um verdadeiro lorde, não seria Picasso. Ele jamais foi um artista burocrático, desses que trabalham das nove às cinco. Picasso reproduzia sua efervescência mental a qualquer hora e em qualquer superfície que houvesse à frente, fosse uma mesa de bar ou carecas alheias. Não era um sujeito agradável: era um homem solto, que não tinha amarras nem ninguém para prestar contas. Onde assentam-se, hoje, os sem-dono, os sem-patrão?

Não existe mais boemia, amor livre, botecos. Dificilmente um candidato a Hemingway irá buscar inspiração dentro do Planet Hollywood. Há pouco espaço para a originalidade e para a desobediência. Estão todos de tocaia: a imprensa, a família, a sociedade. Ou trabalhamos de acordo com as regras do mercado ou estamos condenados ao ostracismo. É uma espécie de capitalismo comunista: estimula-se a livre concorrência desde que todos sejam iguais. Só os egoístas podem nos salvar da mediocridade.

Dizem que todo artista é louco. Se loucura e liberdade forem parentes, então concordo. Pintar, compor, escrever, dançar, tudo isso requer um mergulho num terreno muito perigoso, o da nossa inconsciência. Lá dentro não existem regras, leis, moral, apenas instinto. Quanto mais domesticada for a nossa irreverência natural, mais dignos e exemplares seremos, e também mais acomodados. Os bonzinhos dão ótimos maridos, mas suas canções, poemas e pinturas raramente valem a pena.

Tecnologia engorda

Acabo de ter minha primeira experiência como ghost-writer: dei o tratamento final de texto a um livro direcionado aos gordinhos e que será lançado em breve pelos profissionais do CREEO – Centro de Recuperação e Estudo da Obesidade. Até então, nunca havia parado para pensar no assunto: fui uma criança raquítica e uma adolescente bem-feitinha. Adulta, ganhei volume em lugares inevitáveis, mas sigo magra. Até quando, veremos.

Qualquer pessoa sabe que fazer exercício é condição sine qua non para ter saúde e boa forma, mas há outros tipos de atividades físicas que podem ser praticadas fora das academias e das canchas de esporte. São as chamadas atividades não-programadas, como subir escadas, varrer a casa ou levantar da cama para trocar de canal. Maravilha. Mas quem se dá esse trabalho?

A tecnologia é a mãe da preguiça. Facilita muito nossa vida, mas não ajuda ninguém a perder calorias. Levantar para trocar de canal? Só se você ainda vive numa caverna. Até tevê de meia polegada vem com controle remoto. Zap, zap, zap. O mundo ao alcance da sua mão e bem longe das suas pernas.

Subir escada, só se faltar luz. Grande parte das pessoas prefere perder tempo esperando o elevador do que encarar meia dúzia de degraus. Inexplicavelmente, é o meio de transporte favorito de quem mora no primeiro andar. A única escada que faz sucesso é a rolante. Em shoppings, formam-se filas homéricas para alcançar os degraus motorizados, enquanto a escada convencional continua com sua função decorativa. Mais mordomia que isso, só as esteiras rolantes, comuns em aeroportos. Para quem está chegando de viagem com excesso de bagagem é um luxo, mas para quem está viajando com uma pastinha executiva é o cúmulo da lerdeza. Fazer o quê? Somos completamente atraídos pela lei do menor esforço.

Os braços tampouco têm sido exigidos. A direção hidráulica, o botãozinho para abrir o vidro do carro e os rádios digitais são os culpados de não podermos mais usar camiseta regata. O trabalho doméstico há muito tempo não provoca suor: espremedores de sucos, aspiradores de pó, batedeiras elétricas, multiprocessadores, centrífugas, máquinas de lavar, tudo isso só exercita o nosso dedinho: on/off.

É uma vergonha mas existe: escova de dentes com motor. Em breve, até o aperto de botões será uma atividade em extinção. Tudo poderá ser acionado com o simples tom da nossa voz. Bastará exercitar as cordas vocais para abrir a porta de casa ou ligar o carro. Diante deste quadro estarrecedor de letargia, a única atividade que nos deixa em forma ainda é o sexo, mas até ela está com os dias contados: nas sexshops, cresce a venda de parceiros movidos à bateria.

Quem tem medo da pena de morte?

Diante de tantas chacinas, assassinatos de crianças, seqüestros e homens queimados vivos, é natural que o assunto pena de morte volte à baila. Como deter a estupidez dessa gente capaz de tanta atrocidade por motivos tão fúteis? Cadeira elétrica, forca, paredón, defendem muitos, como se isso inibisse os delinqüentes. Inibe nada.

Tirando Ronald Biggs, o famoso ladrão inglês que assaltou um trem e se refugiou no Brasil, não existe bandido velho. Bandido não se aposenta. Não sobrevive para contar suas aventuras aos netos. O tipo de vida que esses marginais levam exclui qualquer apego à vida, seja a nossa ou a deles. Nasceram apanhando, com fome, sem ir à escola e sem nenhuma chance de virar cidadãos decentes. Tiros são música para seus ouvidos. Não fazem planos para o futuro. O futuro deles é o próximo assalto. Se entrarem armados numa agência bancária e mantiverem uma criança como refém é mais provável que sejam alvejados ali mesmo em vez de condenados a tomar uma injeção letal. Qualquer bandido sabe que o risco está no ato da transgressão. O flagrante delito é a verdadeira pena de morte.

Se eles tivessem medo de morrer, não ousariam entrar na casa dos outros sem saber o que vão encontrar lá dentro, se uma família dormindo ou o dono da casa bem acordado e armado. Lembram de Leonardo Pareja, que dizia aguardar a morte na próxima esquina? Ele, que tinha alguma instrução, sabia que sua "profissão" vinha com prazo de validade vencido. Imagine quem não domina nem o be-a-bá: está se lixando para o dia de amanhã.

A morte não assusta quem vive dela. Estamos enganando a nós mesmos quando defendemos a pena de morte como instrumento de inibição da violência. Paulo Francis tinha toda a razão: pena de morte é vingança. É fazer alguém pagar seus pecados na mesma moeda. Funciona como catarse social, mas não soluciona o problema, se é que existe solução. É claro que educação, alimentação e família ajudam muito. Também ajudaria um sistema carcerário que não tratasse seus detentos como animais enjaulados, e sim que utilizasse sua mão-de-obra para trabalhos que custeassem sua pena. Ajudaria uma melhor distribuição de renda e um combate mais firme ao tráfico de drogas. Ajudaria mais policiamento nas ruas. Já a pena de morte só ajudaria a praticar nossa própria crueldade. Matar dentro da lei seria uma senhora revanche.

Nem quero pensar no que eu seria capaz caso acontecesse algo de ruim com um dos meus, mas não se pode tratar a pena de morte emocionalmente, como um ajuste de contas particular. A punição da violência tem que ser coletiva. Tem que interessar a toda sociedade e não apenas às suas vítimas diretas. Até posso, intimamente, desejar a morte de quem destruiu minha felicidade, mas não é correto passar esta procuração para o Estado. Há outras maneiras de ele nos proteger. Segurança estatizada, tudo bem, mas nosso ódio deve continuar sendo um assunto privado.

Tenho lido algumas declarações de Madonna a respeito da maternidade. Mãe de Lourdes Maria, Madonna tem revelado à imprensa que não deixará a menina ver televisão ou fazer amigos pela Internet. Eu não acredito em tudo que leio, mas suponhamos que seja verdade, que Madonna realmente esteja disposta a apertar o cerco. Que podemos deduzir? Que ela está empenhada em transformar sua imagem, deixando de ser vista como uma persona sexual para investir na carreira de atriz. Ou então que ela realmente acredita que a televisão é o mal do século e que a Internet coloca qualquer malandro dentro de casa. A primeira hipótese chama-se marketing. A segunda, retrocesso.

O que Madonna diz ou faz não pode ser desconsiderado. Ela ainda inspira milhões de garotas no mundo inteiro. Camille Paglia escreveu, e eu concordo, que Madonna é a verdadeira feminista deste final de século. Denunciou o puritanismo americano, incentivou as jovens a exercerem sua sexualidade e mostrou que uma mulher pode ser dona do próprio destino. Fez isso através da dança e da música, transformando-se num fenômeno pop mundial e no símbolo da mulher liberada e sem culpa. Será uma pena se jogar essa imagem no lixo em função da maternidade, como se as duas Madonnas não pudessem coexistir.

A maioria das pessoas desconfia de mães muito modernas. Acreditam que, depois de ter filhos, o desejo sexual cai para segundo plano e nada mais importa, nem nossa profissão, nem nossas idéias, nem nossa libido. A única meta é proteger os filhos de tudo, até deles mesmos. Algumas mulheres chegam a trocar de guarda-roupa assim que dão à luz. Decotes e saias curtas vão para o fogo, abrindo espaço para vestidos folgados, que não revelam as formas. Não há mais o que seduzir. A missão foi cumprida.

Procriar ainda é considerada a função maior da mulher, e não uma escolha como tantas outras. Por mais que uma mulher tenha uma carreira, viaje o mundo e viva um grande amor, ela acredita que só quando gerar um filho é que dará sentido à sua vida. Não é bem assim, mas desde pequenas nos ensinam que é, e as mulheres que decidem não engravidar acabam sofrendo uma tremenda pressão social, levando para o túmulo a dúvida: será que perdi o melhor da festa?

A mudança de Madonna reforça um mito antigo, o de que ser mãe compensa o abandono de si mesma. Com essa desculpa, muitas mulheres inteligentes escondem-se em casa e deixam de ter uma vida mais produtiva. Já as mulheres dinâmicas e irreverentes, que ainda não estão certas se há espaço para um bebê em suas vidas, vão colocar uma pedra sobre o assunto. Devem estar chocadas vendo Madonna condenar o veículo de comunicação que a transformou numa estrela. Vendo Madonna, que trocava a cor dos cabelos a cada semana, adotar um visual samaritano. Vendo aquela mulher atrevida virada numa santa. Como acreditar que a maternidade é apenas uma opção de vida e não uma tarefa eclesiástica? Que é possível ser mãe sem abrir mão da loba que existe em nós? Madonna agora atua sob o patrocínio de Deus, divulgando a maternidade como a fronteira entre o céu, onde moram as mães, e o inferno, onde vivem as mulheres. Procura-se a Madonna dos velhos tempos desesperadamente.

Quando eu tinha 15 anos, meu pai tinha 40 e minha mãe, 38. Um casal de velhos, eu pensava, sem perceber que a caduca era eu. Temos a tendência de chamar de idoso qualquer pessoa que tenha um ano a mais que nós, numa tentativa de adiar nosso próprio envelhecimento. Compreende-se, mas não há motivo. Estamos na era da longevidade. Não sei se estamos vivendo bem, mas estamos vivendo bastante.

Uma das matérias jornalísticas mais comuns, hoje em dia, é a de aniversários de velhinhos: 110, 114, 122 anos! É febre, toda semana tem festinha de 100 anos em algum lugar do planeta. E as reportagens deixam bem claro: os aniversariantes bebem, fumam e namoram, desafiando a medicina. Há luz no fim do túnel.

Quem nasceu no século passado tinha razões de sobra para entrar em crise quando completava quarenta anos. A morte acenava logo ali adiante. Osvaldo Cruz morreu com 44. Carmem Miranda, com 46. Edith Piaf e Enrico Caruso, com 48. Marcel Proust, com 51. Mario de Andrade, com 52. Um infanticídio, se levarmos em conta que Caetano e Gil têm 55 e mal deixaram as fraldas. Não há velhice abaixo dos 100.

Na faixa dos 60, entra-se na maturidade. Verissimo, Scliar, Fernanda Montenegro, Zagalo, Marcia Haydée, García Márquez, João Gilberto, Lya Luft, todos estão no auge da sua capacidade intelectual e brilhando em suas profissões. Qual é o elixir? Cabeças arejadas. Como é que ninguém ainda patenteou essa invenção?

Depois dos 80, o motor pode começar a falhar, mas não pifa. Bibi Ferreira, 82. Otávio Paz e Dorival Caymi, 83. Jorge Amado, 85. Séculos atrás seriam múmias. Hoje, ainda são grandes.

Não é à toa que as estantes das livrarias estão repletas de obras que acabam com o mito de que a meia-idade é o começo do fim. É nada. Para quem tem saúde e mente aberta, é tudo o que pedimos a Deus: uma adolescência madura e, o que é melhor, sem espinhas.

Queixas e lamentações provocam cegueira. Abram os olhos: nosso prazo de validade foi prorrogado. A desesperança ainda pode ser substituída por projetos e realizações. Quem tem 30 está dando os primeiros passos. Quem tem 20, engatinha. E quem tem menos, vai cruzar a reta dos 100 dando cambalhota. Vive mais quem não perde tempo.

A proximidade do terceiro milênio tem gerado muitas especulações. Uns acreditam no fim do mundo, outros juram que a tecnologia acabará com as relações humanas, e há os que acham que a virada do século é apenas conseqüência de um dia após o outro. Estou com esses. Nada vai mudar entre 31 de dezembro de 1999 e 1º de janeiro de 2000, a não ser o preenchimento dos cheques. A evolução se dará em outro setor: o do comportamento. O terceiro milênio, de uma maneira muito sutil, abrirá as portas para a terceira opção.

O ser humano nunca lidou bem com múltipla escolha. Passamos a vida optando apenas entre duas únicas variáveis: casados x solteiros, machistas x feministas, esquerda x direita. A fórmula perfeita do consenso.

O terceiro milênio vai, quase subliminarmente, transformar essa estabilidade em algo mais flexível, e uma nova sociedade pode surgir daí, menos fechada, mais diversificada. Tirei o dia pra filosofar. Divirta-se.

Veja bem. Já estamos convivendo com o terceiro sexo, e ele não se restringe aos homossexuais.

Terceiro sexo são todos os homens que choram, que cozinham, que são afetuosos, que gostam de mulheres e não de serventes. Terceiro sexo também são todas as mulheres que não se condenam, que não engolem sapos, que gostam de homens e não de provedores. Terceiro sexo são todos os homens e mulheres sem estereótipos e sem papéis preestabelecidos.

Na política é a mesma coisa. Antigamente ou você era contra ou a favor do sistema. Os que eram contra viviam em comunidades, liam Marx, faziam artesanato e só comiam arroz integral. Os que eram a favor, conhecidos também como burgueses, viviam em coberturas, trabalhavam em multina-cionais, comiam hambúrguer e só liam Fatos & Fotos. Pré-história. O terceiro milênio abre suas portas para os não-maniqueístas. Para os que lutam por igualdade social sem abdicar do prazer e do bom humor. Para os que lidam com dinheiro sem culpa, para os que não se opõem a tudo com fanatismo e para os que são conservadores mas não são burros. Enfim, para os que convivem pacificamente com as próprias divergências, tomando uma terceira direção.

E no amor? Ou você era casado até que a morte o separasse, ou era solteiro até que a vida o devorasse. Casados e solteiros eram grupos rivais: uns não convidavam os outros para jantar. Passado. No terceiro milênio, deixaremos de ver o casamento como uma doença terminal. Alguém que está casado poderá se comportar como solteiro (sem abusar), e os solteiros terão o mesmo status que os casados, e até alguns mesmos vícios, como gostar de ficar em casa no sábado. Nem casados mortos para o mundo, nem solteiros eternamente no cio. O terceiro milênio promete ser menos convencional.

A nova ordem mundial será: busquem alternativas. Não dá mais para duelar consigo mesmo, matando metade de si. Ciências humanas ou exatas. Ocidente ou Oriente. Com gás ou sem gás. O terceiro milênio vem aí para nos ensinar a mesclar e dar um passinho à frente, por favor.

Sargentos e soldados

Dizem que o mundo se divide entre aqueles que mandam e aqueles que obedecem. Logo imaginamos patrões e empregados, adultos e crianças, professores e alunos, em que a hierarquia dita as regras. Mas no dia-a-dia de um casal, quem detém o comando? Errou quem respondeu o homem, por ser o chefe da casa. Ou a mulher, por ser a administradora do lar. Essa é uma questão que não se segmenta por sexo nem situação financeira. Manda o ansioso. Obedece o desligado. E salve-se quem puder.

Dificilmente um casal é formado por dois maníacos, ou dois tranqüilões. Todos sabem: os opostos se atraem e, não contentes, sobem o altar, assinando um contrato para viver o resto da vida às turras. Se souberem se divertir com isso, o casamento está salvo.

O tranqüilo, ou a tranqüila, sempre esquece de fechar a janela antes de deitar. Chega com 10 minutos de atraso na festa do colégio do filho. Fica sem gasolina no meio da rua. Bate a porta da casa com a chave dentro. Deixa a geladeira aberta. O mundo vai acabar por causa disso? Depende com quem se dorme à noite.

Se o cônjuge fizer o estilo sargento, danou-se. O sargento da casa é o retrato da perfeição. Faz a revista completa dos aposentos antes de dormir: janelas, torneiras, gás, tudo tem que estar hermeticamente fechado, e ele ainda levanta de madrugada para conferir, porque não confia nem em si mesmo. Pontualidade? Nenhuma: chega sempre dez minutos antes. Jamais deixa o combustível do tanque encostar na reserva. Aliás, com meio tanque ele não arrisca ir do centro até Vila Assunção. O sargento sempre sabe onde está a tesourinha de unhas. O sargento lembra o nome do prédio em que morou 27 anos atrás. O sargento não perdoa roupa jogada no chão.

Até aí, contemporiza-se. As pequenas divergências só ganham ares de drama quando atingem o lado frágil do casal: o bolso.

O tranqüilo sempre esquece de devolver a fita de vídeo. Paga as contas com dias de atraso: prefere multa do que fila no banco. O tranqüilo desconhece canhoto de cheque, nem desconfia para que serve. Sabe aquelas filas que se formavam nos postos de gasolina quando o governo anunciava aumento de preço? O tranqüilo ficava bobo: essa gente não tem mais o que fazer? Pergunta para o tranqüilo quando é o vencimento do seu cartão de crédito. Pergunta.

A mulher do tranqüilo, ou o marido da tranqüila, descabela-se. Toda a economia vai por água abaixo: de nada adiantou fazer pesquisa em três supermercados, contar os centavos, pagar as contas uma semana antes do prazo, comprar quatro caixas de morango por cinco reais. Um economiza, o outro desperdiça. Um lembra do aniversário do Ayrton Senna, o outro não sabe o aniversário da própria mãe. Um planeja a viagem com seis meses de antecedência, o outro esquece de renovar o passaporte. Um faz, o outro desfaz.

Advogados, fiquem fora disso. Os opostos se atraem, lembram? O ansioso manda, o viajandão obedece, e à noite, embaixo dos lençóis, é um chamego só. Que casamento não tem esse tempero? O ansioso jura que se o viajandão fosse mais ligado, ele relaxava. O viajandão jura que se o ansioso não controlasse tudo, ele tomava as rédeas. Um não acredita no outro, e ambos dormem em paz.

ASSASSINOS POR DISTRAÇÃO

O Jornal Nacional, dias atrás, apresentou uma reportagem que merecia ser mais comentada. A história: na Flórida, dois rapazes e uma garota resolveram roubar algumas placas de PARE instaladas em cruzamentos. Motivo: falta do que fazer. Conseqüência: na noite seguinte, numa dessas esquinas desfalcadas de sinalização, três rapazes de 18 anos chocaram seu veículo contra um caminhão. Não sabiam que estavam atravessando uma preferencial. Tiveram morte instantânea.

O julgamento dos afanadores de placas foi televisionado. Choravam feito bezerros desmamados. Alegavam que tudo não passou de uma brincadeira de mau gosto. Eram réus primários, quase crianças, e pediam clemência. Inútil. O juiz decretou 15 anos de prisão para cada um e disse estar sendo generoso, porque assassinos não costumam pegar menos de 30. Comovida com o arrependimento dos acusados, a mãe de um dos garotos morto no acidente pediu ao juiz que não os condenasse por tanto tempo, pois no presídio iriam conviver com bandidos de verdade e o futuro deles ficaria irreversivelmente comprometido.

Nada feito. O juiz bateu o martelo e os três já estão vendo o sol nascer quadrado.

O juiz foi rígido? Na hora em que eu assistia ao telejornal, vendo o desespero daqueles jovens e de suas famílias, achei que sim. Mas uma pergunta me veio à cabeça: quem, nos Estados Unidos, vai agora ousar roubar uma placa de sinalização? Só um demente.

A lição é clara: a irresponsabilidade provoca crimes e a impunidade os multiplica. O Brasil está cheio desses pequenos transgressores que depredam orelhões e danificam placas de trânsito, sem pensar que vidas podem estar sendo perdidas por causa disso. Não são assassinos como Guilherme de Pádua, mas podem estar matando sem saber. Precisam ser detidos.

Falta de intenção atenua um crime, mas não pode absolver. Qualquer pessoa com mais de 18 anos deve ter consciência de que dirigir bêbado, soltar foguetes, dar tiros para o alto, jogar coquetéis molotov dentro de ônibus, tudo isso também provoca tragédias. Estamos acostumados a chamar de assassinos apenas aquelas pessoas que saem de casa com uma pistola automática e o endereço da vítima anotado num papel. Já políticos que desviam verbas destinadas a postos de saúde, esses são gentilmente chamados de corruptos. Ladrões, no máximo. Assassinos, nunca.

Não somos marginais, mas somos todos homicidas em potencial. Basta uma inconseqüência, uma distorção de valores ou uma sandice como a dos jovens americanos. É pena que eles estejam pagando tão caro pelo que fizeram, mas outros três adolescentes morreram por sua causa, e outros tantos continuariam a morrer se o juiz pensasse como nós: o acusado poderia ser um filho meu. Poderia. Mas poderia também estar enterrado sete palmos abaixo da terra por não ter sido avisado de que no meio do caminho havia uma preferencial. Foi dado o recado: não existe muita diferença entre os assassinos por natureza e os assassinos por distração.

"Viver/e não ter a vergonha de ser feliz/ cantar/a certeza de ser um eterno aprendiz." Esses são os versos de uma das músicas mais conhecidas do cantor Gonzaguinha e que serviu de trilha sonora para os dias em que Gustavo Kuerten reinou em Paris, durante o torneio de tênis de Roland Garros. Não foi uma escolha à toa. Se Guga fosse uma música, não seria outra.

Nosso encantamento com esse garoto tem razões muito mais profundas do que seu talento, seu sucesso ou sua simpatia. De simpáticos o mundo está cheio. Guga nos assombrou porque é verdadeiro. Porque não é arrogante. Porque não conta vantagem. Porque não se acha melhor do que os outros. Sendo assim, é hora de nos perguntarmos: com que tipo de gente estamos nos relacionando para ficarmos assim tão perplexos com a simplicidade?

Competição. Esta é a palavra de ordem do mundo atual, e que já não se restringe ao empresariado. Vale para tudo: para conseguir uma vaga para estacionar, para arranjar marido, para se destacar neste mundo de clones. Não somos mais irmãos, somos concorrentes. E como não há lugar para todos os talentosos nas páginas de jornais e no noticiário da tevê, aparece quem se vende melhor.

Pecado? Nenhum. Mas, como escreveu Machado de Assis, a vaidade é um princípio de corrupção. Não estamos muito convencidos de conquistar nosso lugar ao sol sendo apenas o que somos e o que fazemos. O pulo do gato, acreditamos, está no que aparentamos ser. É aí que começa o jogo das palavras, das cenas, das imagens criadas para consumo externo. Basta lembrar do patético casal Collor no enterro de Frei Damião e de todos os políticos fraudulentos que continuam, com a maior cara-de-pau, dizendo-se a serviço do povo. Lembrar das guerras de egos nos bastidores da tevê, das alfinetadas no mundo da moda e das biografias de quem não tem nada para contar: tudo se resume a "eu fiz, eu fui, eu sou". Eu, eu, eu, eu. A modéstia foi banida da face da Terra.

Eis que surge então Gustavo Kuerten, encantando o mundo inteiro não só com o que faz com a raquete, mas com a cabeça. Está aí um surfista da Joaquina nos ensinando que é possível vencer a vaidade, reverenciar nossos ídolos sem sentir-se servil e manter-se sempre natural, não importa se é o leiteiro batendo lá fora ou os repórteres da CNN. Enquanto todos procuram diferenciar-se para aparecer, pessoas como Guga destacam-se justamente pelo contrário: por cultivarem sua semelhança com o resto dos mortais. Um dom raro que tinham também os rapazes do Mamonas Assassinas e que tem outro grande esportista, o jogador de basquete Oscar, e que jamais vão ter Romário, Inocêncio de Oliveira ou Naomi Campbell. A verdadeira realeza dispensa afetação. O bom e velho sorriso ainda manda no jogo.

Coleção **L&PM** POCKET (LANÇAMENTOS MAIS RECENTES)

538.**Ora bolas – O humor de Mario Quintana** – Juarez Fonseca
539.**Longe daqui aqui mesmo** – Antonio Bivar
540(5).**É fácil matar** – Agatha Christie
541.**O pai Goriot** – Balzac
542.**Brasil, um país do futuro** – Stefan Zweig
543.**O processo** – Kafka
544.**O melhor de Hagar 4** – Dik Browne
545(6).**Por que não pediram a Evans?** – Agatha Christie
546.**Fanny Hill** – John Cleland
547.**O gato por dentro** – William S. Burroughs
548.**Sobre a brevidade da vida** – Sêneca
549.**Geraldão (1)** – Glauco
550.**Piratas do Tietê (2)** – Laerte
551.**Pagando o pato** – Ciça
552.**Garfield de bom humor (6)** – Jim Davis
553.**Conhece o Mário?** vol. 1 – Santiago
554.**Radicci 6** – Iotti
555.**Os subterrâneos** – Jack Kerouac
556(1).**Balzac** – François Taillandier
557(2).**Modigliani** – Christian Parisot
558(3).**Kafka** – Gérard-Georges Lemaire
559(4).**Júlio César** – Joël Schmidt
560.**Receitas da família** – J. A. Pinheiro Machado
561.**Boas maneiras à mesa** – Celia Ribeiro
562(9).**Filhos sadios, pais felizes** – R. Pagnoncelli
563(10).**Fatos & mitos** – Dr. Fernando Lucchese
564.**Ménage à trois** – Paula Taitelbaum
565.**Mulheres!** – David Coimbra
566.**Poemas de Álvaro de Campos** – Fernando Pessoa
567.**Medo e outras histórias** – Stefan Zweig
568.**Snoopy e sua turma (1)** – Schulz
569.**Piadas para sempre (1)** – Visconde da Casa Verde
570.**O alvo móvel** – Ross Macdonald
571.**O melhor do Recruta Zero (2)** – Mort Walker
572.**Um sonho americano** – Norman Mailer
573.**Os broncos também amam** – Angeli
574.**Crônica de um amor louco** – Bukowski
575(5).**Freud** – René Major e Chantal Talagrand
576(6).**Picasso** – Gilles Plazy
577(7).**Gandhi** – Christine Jordis
578.**A tumba** – H. P. Lovecraft
579.**O príncipe e o mendigo** – Mark Twain
580.**Garfield, um charme de gato (7)** – Jim Davis
581.**Ilusões perdidas** – Balzac
582.**Esplendores e misérias das cortesãs** – Balzac
583.**Walter Ego** – Angeli
584.**Striptiras (1)** – Laerte
585.**Fagundes: um puxa-saco de mão cheia** – Laerte
586.**Depois do último trem** – Josué Guimarães
587.**Ricardo III** – Shakespeare
588.**Dona Anja** – Josué Guimarães
589.**24 horas na vida de uma mulher** – Stefan Zweig
590.**O terceiro homem** – Graham Greene
591.**Mulher no escuro** – Dashiell Hammett
592.**No que acredito** – Bertrand Russell
593.**Odisséia (1): Telemaquia** – Homero
594.**O cavalo cego** – Josué Guimarães
595.**Henrique V** – Shakespeare
596.**Fabulário geral do delírio cotidiano** – Bukowski
597.**Tiros na noite 1: A mulher do bandido** – Dashiell Hammett
598.**Snoopy em Feliz Dia dos Namorados! (2)** – Schulz
599.**Mas não se matam cavalos?** – Horace McCoy
600.**Crime e castigo** – Dostoiévski
601(7).**Mistério no Caribe** – Agatha Christie
602.**Odisséia (2): Regresso** – Homero
603.**Piadas para sempre (2)** – Visconde da Casa Verde
604.**À sombra do vulcão** – Malcolm Lowry
605(8).**Kerouac** – Yves Buin
606.**E agora são cinzas** – Angeli
607.**As mil e uma noites** – Paulo Caruso
608.**Um assassino entre nós** – Ruth Rendell
609.**Crack-up** – F. Scott Fitzgerald
610.**Do amor** – Stendhal
611.**Cartas do Yage** – William Burroughs e Allen Ginsberg
612.**Striptiras (2)** – Laerte
613.**Henry & June** – Anaïs Nin
614.**A piscina mortal** – Ross Macdonald
615.**Geraldão (2)** – Glauco
616.**Tempo de delicadeza** – A. R. de Sant'Anna
617.**Tiros na noite 2: Medo de tiro** – Dashiell Hammett
618.**Snoopy em Assim é a vida, Charlie Brown! (3)** – Schulz
619.**1954 – Um tiro no coração** – Hélio Silva
620.**Sobre a inspiração poética (Íon)** e ... – Platão
621.**Garfield e seus amigos (8)** – Jim Davis
622.**Odisséia (3): Ítaca** – Homero
623.**A louca matança** – Chester Himes
624.**Factótum** – Charles Bukowski
625.**Guerra e Paz: volume 1** – Tolstói
626.**Guerra e Paz: volume 2** – Tolstói
627.**Guerra e Paz: volume 3** – Tolstói
628.**Guerra e Paz: volume 4** – Tolstói
629(9).**Shakespeare** – Claude Mourthé
630.**Bem está o que bem acaba** – Shakespeare
631.**O contrato social** – Rousseau
632.**Geração Beat** – Jack Kerouac
633.**Snoopy: É Natal! (4)** – Charles Schulz
634(8).**Testemunha da acusação** – Agatha Christie
635.**Um elefante no caos** – Millôr Fernandes
636.**Guia de leitura (100 autores que você precisa ler)** – Organização de Léa Masina
637.**Pistoleiros também mandam flores** – David Coimbra
638.**O prazer das palavras – vol. 1** – Cláudio Moreno
639.**O prazer das palavras – vol. 2** – Cláudio Moreno
640.**Novíssimo testamento: com Deus e o diabo, a dupla da criação** – Iotti
641.**Literatura Brasileira: modos de usar** – Luís Augusto Fischer
642.**Dicionário de Porto-Alegrês** – Luís A. Fischer
643.**Clô Dias & Noites** – Sérgio Jockymann
644.**Memorial de Isla Negra** – Pablo Neruda
645.**Um homem extraordinário e outras histórias** – Tchékhov
646.**Ana sem terra** – Alcy Cheuiche
647.**Adultérios** – Woody Allen

648.**Para sempre ou nunca mais** – R. Chandler
649.**Nosso homem em Havana** – Graham Greene
650.**Dicionário Caldas Aulete de Bolso**
651.**Snoopy: Posso fazer uma pergunta, professora? (5)** – Charles Schulz
652(10).**Luís XVI** – Bernard Vincent
653.**O mercador de Veneza** – Shakespeare
654.**Cancioneiro** – Fernando Pessoa
655.**Non-Stop** – Martha Medeiros
656.**Carpinteiros, levantem bem alto a cumeeira & Seymour, uma apresentação** – J.D.Salinger
657.**Ensaios céticos** – Bertrand Russell
658.**O melhor de Hagar 5** – Dik Browne
659.**Primeiro amor** – Ivan Turguêniev
660.**A trégua** – Mario Benedetti
661.**Um parque de diversões da cabeça** – Lawrence Ferlinghetti
662.**Aprendendo a viver** – Sêneca
663.**Garfield, um gato em apuros (9)** – Jim Davis
664.**Dilbert 1** – Scott Adams
665.**Dicionário de dificuldades** – Domingos Paschoal Cegalla
666.**A imaginação** – Jean-Paul Sartre
667.**O ladrão e os cães** – Naguib Mahfuz
668.**Gramática do português contemporâneo** – Celso Cunha
669.**A volta do parafuso** *seguido de* **Daisy Miller** – Henry James
670.**Notas do subsolo** – Dostoiévski
671.**Abobrinhas da Brasilônia** – Glauco
672.**Geraldão (3)** – Glauco
673.**Piadas para sempre (3)** – Visconde da Casa Verde
674.**Duas viagens ao Brasil** – Hans Staden
675.**Bandeira de bolso** – Manuel Bandeira
676.**A arte da guerra** – Maquiavel
677.**Além do bem e do mal** – Nietzsche
678.**O coronel Chabert** *seguido de* **A mulher abandonada** – Balzac
679.**O sorriso de marfim** – Ross Macdonald
680.**100 receitas de pescados** – Sílvio Lancellotti
681.**O juiz e o seu carrasco** – Friedrich Dürrenmatt
682.**Noites brancas** – Dostoiévski
683.**Quadras ao gosto popular** – Fernando Pessoa
684.**Romanceiro da Inconfidência** – Cecília Meireles
685.**Kaos** – Millôr Fernandes
686.**A pele de onagro** – Balzac
687.**As ligações perigosas** – Choderlos de Laclos
688.**Dicionário de matemática** – Luiz Fernandes Cardoso
689.**Os Lusíadas** – Luís Vaz de Camões
690(11).**Átila** – Éric Deschodt
691.**Um jeito tranqüilo de matar** – Chester Himes
692.**A felicidade conjugal** *seguido de* **O diabo** – Tolstói
693.**Viagem de um naturalista ao redor do mundo** – vol. 1 – Charles Darwin
694.**Viagem de um naturalista ao redor do mundo** – vol. 2 – Charles Darwin
695.**Memórias da casa dos mortos** – Dostoiévski
696.**A Celestina** – Fernando de Rojas
697.**Snoopy (6)** – Charles Schulz
698.**Dez (quase) amores** – Claudia Tajes
699.**Poirot sempre espera** – Agatha Christie
700.**Cecília de bolso** – Cecília Meireles
701.**Apologia de Sócrates** *precedido de* **Êutifron** e *seguido de* **Críton** – Platão
702.**Wood & Stock** – Angeli
703.**Striptiras (3)** – Laerte
704.**Discurso sobre a origem e os fundamentos da desigualdade entre os homens** – Rousseau
705.**Os duelistas** – Joseph Conrad
706.**Dilbert (2)** – Scott Adams
707.**Viver e escrever (vol.1)** – Edla van Steen
708.**Viver e escrever (vol.2)** – Edla van Steen
709.**Viver e escrever (vol.3)** – Edla van Steen
710.**A teia da aranha** – Agatha Christie
711.**O banquete** – Platão
712.**Os belos e malditos** – F. Scott Fitzgerald
713.**Libelo contra a arte moderna** – Salvador Dalí
714.**Akropolis** – Valerio Massimo Manfredi
715.**Devoradores de mortos** – Michael Crichton
716.**Sob o sol da Toscana** – Frances Mayes
717.**Batom na cueca** – Nani
718.**Vida dura** – Claudia Tajes
719.**Carne trêmula** – Ruth Rendell
720.**Cris, a fera** – David Coimbra
721.**O anticristo** – Nietzsche
722.**Como um romance** – Daniel Pennac
723.**Emboscada no Forte Bragg** – Tom Wolfe
724.**Assédio sexual** – Michael Crichton
725.**O espírito do Zen** – Alan W.Watts
726.**Um bonde chamado desejo** – Tennessee Williams
727.**Como gostais** *seguido de* **Conto de inverno** – Shakespeare
728.**Tratado sobre a tolerância** – Voltaire
729.**Snoopy: Doces ou travessuras? (7)** – Charles Schulz
730.**Cardápios do Anonymus Gourmet** – J.A. Pinheiro Machado
731.**100 receitas com lata** – J.A. Pinheiro Machado
732.**Conhece o Mário?** vol.2 – Santiago
733.**Dilbert (3)** – Scott Adams
734.**História de um louco amor** *seguido de* **Passado amor** – Horacio Quiroga
735(11).**Sexo: muito prazer** – Laura Meyer da Silva
736(12).**Para entender o adolescente** – Dr. Ronald Pagnoncelli
737(13).**Desembarcando a tristeza** – Dr. Fernando Lucchese
738(11).**Poirot e o mistério da arca espanhola & outras histórias** – Agatha Christie
739.**A última legião** – Valerio Massimo Manfredi
740.**As virgens suicidas** – Jeffrey Eugenides
741.**Sol nascente** – Michael Crichton
742.**Duzentos ladrões** – Dalton Trevisan
743.**Os devaneios do caminhante solitário** – Rousseau
744.**Garfield, o rei da preguiça (10)** – Jim Davis
745.**Os magnatas** – Charles R. Morris
746.**Pulp** – Charles Bukowski
747.**Enquanto agonizo** – William Faulkner
748.**Aline: viciada em sexo (3)** – Adão Iturrusgarai
749.**A dama do cachorrinho** – Anton Tchékhov
750.**Tito Andrônico** – Shakespeare
751.**Antologia poética** – Anna Akhmátova
752.**O melhor de Hagar 6** – Dik e Chris Browne
753(12).**Michelangelo** – Nadine Sautel
754.**Dilbert (4)** – Scott Adams
755.**O jardim das cerejeiras** *seguido de* **Tio Vânia** – Tchékhov
756.**Geração Beat** – Claudio Willer
757.**Santos Dumont** – Alcy Cheuiche

758.**Budismo** – Claude B. Levenson
759.**Cleópatra** – Christian-Georges Schwentzel
760. **Revolução Francesa** – Frédéric Bluche, Stéphane Rials e Jean Tulard
761.**A crise de 1929** – Bernard Gazier
762.**Sigmund Freud** – Edson Sousa e Paulo Endo
763.**Império Romano** – Patrick Le Roux
764.**Cruzadas** – Cécile Morrisson
765.**O mistério do Trem Azul** – Agatha Christie
766.**Os escrúpulos de Maigret** – Simenon
767.**Maigret se diverte** – Simenon
768.**Senso comum** – Thomas Paine
769.**O parque dos dinossauros** – Michael Crichton
770.**Trilogia da paixão** – Goethe
771.**A simples arte de matar** (vol.1) – R. Chandler
772.**A simples arte de matar** (vol.2) – R. Chandler
773.**Snoopy: No mundo da lua! (8)** – Charles Schulz
774.**Os Quatro Grandes** – Agatha Christie
775.**Um brinde de cianureto** – Agatha Christie
776.**Súplicas atendidas** – Truman Capote
777.**Ainda restam aveleiras** – Simenon
778.**Maigret e o ladrão preguiçoso** – Simenon
779.**A viúva imortal** – Millôr Fernandes
780.**Cabala** – Roland Goetschel
781.**Capitalismo** – Claude Jessua
782.**Mitologia grega** – Pierre Grimal
783.**Economia: 100 palavras-chave** – Jean-Paul Betbèze
784.**Marxismo** – Henri Lefebvre
785.**Punição para a inocência** – Agatha Christie
786.**A extravagância do morto** – Agatha Christie
787(13).**Cézanne** – Bernard Fauconnier
788.**A identidade Bourne** – Robert Ludlum
789.**Da tranquilidade da alma** – Sêneca
790.**Um artista da fome** *seguido de* **Na colônia penal e outras histórias** – Kafka
791.**Histórias de fantasmas** – Charles Dickens
792.**A louca de Maigret** – Simenon
793.**O amigo de infância de Maigret** – Simenon
794.**O revólver de Maigret** – Simenon
795.**A fuga do sr. Monde** – Simenon
796.**O Uraguai** – Basílio da Gama
797.**A mão misteriosa** – Agatha Christie
798.**Testemunha ocular do crime** – Agatha Christie
799.**Crepúsculo dos ídolos** – Friedrich Nietzsche
800.**Maigret e o negociante de vinhos** – Simemon
801.**Maigret e o mendigo** – Simenon
802.**O grande golpe** – Dashiell Hammett
803.**Humor barra pesada** – Nani
804.**Vinho** – Jean-François Gautier
805.**Egito Antigo** – Sophie Desplancques
806(14).**Baudelaire** – Jean-Baptiste Baronian
807.**Caminho da sabedoria, caminho da paz** – Dalai Lama e Felizitas von Schönborn
808.**Senhor e servo e outras histórias** – Tolstói
809.**Os cadernos de Malte Laurids Brigge** – Rilke
810.**Dilbert (5)** – Scott Adams
811.**Big Sur** – Jack Kerouac
812.**Seguindo a correnteza** – Agatha Christie
813.**O álibi** – Sandra Brown
814.**Montanha-russa** – Martha Medeiros
815.**Coisas da vida** – Martha Medeiros
816.**A cantada infalível** *seguido de* **A mulher do centroavante** – David Coimbra
817.**Maigret e os crimes do cais** – Simenon
818.**Sinal vermelho** – Simenon
819.**Snoopy: Pausa para a soneca (9)** – Charles Schulz
820.**De pernas pro ar** – Eduardo Galeano
821.**Tragédias gregas** – Pascal Thiercy
822.**Existencialismo** – Jacques Colette
823.**Nietzsche** – Jean Granier
824.**Amar ou depender?** – Walter Riso
825.**Darmapada: A doutrina budista em versos**
826.**J'Accuse...! – a verdade em marcha** – Zola
827.**Os crimes ABC** – Agatha Christie
828.**Um gato entre os pombos** – Agatha Christie
829.**Maigret e o sumiço do sr. Charles** – Simenon
830.**Maigret e a morte do jogador** – Simenon
831.**Dicionário de teatro** – Luiz Paulo Vasconcellos
832.**Cartas extraviadas** – Martha Medeiros
833.**A longa viagem de prazer** – J. J. Morosoli
834.**Receitas fáceis** – J. A. Pinheiro Machado
835.**Mais fatos e mitos** – Dr. Fernando Lucchese
836.**Boa viagem!** – Dr. Fernando Lucchese
837.**Aline: Finalmente nua!!!** (4) – Adão Iturrusgarai
838.**Mônica tem uma novidade!** – Mauricio de Sousa
839.**Cebolinha em apuros!** – Mauricio de Sousa
840.**Sócios no crime** – Agatha Christie
841.**Bocas do tempo** – Eduardo Galeano
842.**Orgulho e preconceito** – Jane Austen
843.**Impressionismo** – Dominique Lobstein
844.**Escrita chinesa** – Viviane Alleton
845.**Paris: uma história** – Yvan Combeau
846(15).**Van Gogh** – David Haziot
847.**Maigret e o corpo sem cabeça** – Simenon
848.**Portal do destino** – Agatha Christie
849.**O futuro de uma ilusão** – Freud
850.**O mal-estar na cultura** – Freud
851.**Maigret e o matador** – Simenon
852.**Maigret e o fantasma** – Simenon
853.**Um crime adormecido** – Agatha Christie
854.**Satori em Paris** – Jack Kerouac
855.**Medo e delírio em Las Vegas** – Hunter Thompson
856.**Um negócio fracassado e outros contos de humor** – Tchékhov
857.**Mônica está de férias!** – Mauricio de Sousa
858.**De quem é esse coelho?** – Mauricio de Sousa
859.**O burgomestre de Furnes** – Simenon
860.**O mistério Sittaford** – Agatha Christie
861.**Manhã transfigurada** – Luiz Antonio de Assis Brasil
862.**Alexandre, o Grande** – Pierre Briant
863.**Jesus** – Charles Perrot
864.**Islã** – Paul Balta
865.**Guerra da Secessão** – Farid Ameur
866.**Um rio que vem da Grécia** – Cláudio Moreno
867.**Maigret e os colegas americanos** – Simenon
868.**Assassinato na casa do pastor** – Agatha Christie
869.**Manual do líder** – Napoleão Bonaparte
870.**Billie Holiday** – Sylvia Fol
871.**Bidu arrasando!** – Mauricio de Sousa
872.**Desventuras em família** – Mauricio de Sousa
873.**Liberty Bar** – Simenon
874.**E no final a morte** – Agatha Christie
875.**Guia prático do Português correto – vol. 4** – Cláudio Moreno
876.**Dilbert (6)** – Scott Adams
877.**Leonardo da Vinci** – Sophie Chauveau
878.**Bella Toscana** – Frances Mayes

IMPRESSÃO:

GRÁFICA EDITORA
Pallotti
IMAGEM DE QUALIDADE

Santa Maria - RS - Fone/Fax: (55) 3220.4500
www.pallotti.com.br